O NOVÍSSIMO PRÍNCIPE

Adriano Moreira

O NOVÍSSIMO PRÍNCIPE

ANÁLISE DA REVOLUÇÃO

O *Novíssimo Príncipe*

© Adriano Moreira
EDIÇÃO: Almedina
REVISÃO: Maria Madalena Requixa
DESIGN: FBA.
FOTO DA CONTRACAPA GENTILMENTE CEDIDA POR ALFREDO CUNHA
IMPRESSÃO E ACABAMENTO: Gráfica de Coimbra
DEPÓSITO LEGAL: 302358/09
ISBN: 978-972-40-4057-8
DATA: Novembro de 2009

BIBLIOTECA NACIONAL DE PORTUGAL
CATALOGAÇÃO NA PUBLICAÇÃO

MOREIRA, Adriano, 1922-
O Novíssimo Príncipe: análise da revolução
ISBN: 978-972-40-4057-8
CDU 323

Aos meus Pais, António e Leopoldina,
à memória do Avô Valentim
e do Tio Paulo;

... *e à memória de* DIOGO DO COUTO, *que escreveu,*
em O SOLDADO PRÁTICO, *a contabilidade do passivo*
de Os Lusíadas.

> PREFÁCIO

ESTA SÉTIMA EDIÇÃO de *O Novíssimo Príncipe* é feita quando se estão a celebrar vinte anos da queda do Muro de Berlim, facto que se verificou a 9 de Novembro de 1989. Tinham passado 15 anos sobre o 25 de Abril de 1974, data da Revolução dos Cravos que colocou um ponto final no secular conceito estratégico português, que orientou a implantação de três sucessivos impérios coloniais, a Índia, o Brasil, a África.

Todos efémeros, todos derivados do facto de o Estado ter procurado na direcção do mar, e não na direcção do sul da Península, satisfazer a necessidade de expansão compensadora da marginalidade estrutural: em busca de cristãos e de especiarias (Índia), em busca de recursos financeiros e de garantias da independência (Brasil), em busca de matérias-primas e de mercados de produtos acabados (África).

Sempre necessitado de um apoio externo desde a Fundação do Reino, finalmente parte do Império Euromundista a que a guerra de 1939-1945 deu fim com a política de descolonização da ONU, uma descolonização a que o governo português resistiu durante treze anos de guerra, na mais longa linha de batalha do mundo, de Lisboa a Timor.

Nesse 1974, a ordem mundial estava basicamente estruturada pelo equilíbrio instável dos Blocos Militares, o Bloco ocidental com expressão na NATO, o Bloco do Leste estruturado pelo Pacto de Varsóvia, o primeiro liderado pelos EUA, o segundo dominado pela URSS: essa ordem, que deu origem ao conceito de guerra fria, foi caracterizado por Raymond Aron como de guerra improvável e paz impossível.

No *resto do mundo*, que os ocidentais de longe consideraram como uma cera mole submissa à moldagem pelos seus padrões políticos, culturais, e económicos, mas nunca objecto de um relacionamento pelo modelo democrático, decorreram as guerras marginais, de elevados custos humanos, materiais, e de autoridade reconhecida, como aconteceu no Vietname, na Coreia, na Argélia, confrontos que eram dinamizados por competições pelas hegemonias, competições que determinam os mais elevados custos, depois das formais descolonizações, como continua a processar-se com evidência na África de todas as calamidades humanas.

No dia 25 de Abril de 1974 pareceu evidente que o Pacto de Varsóvia, sem custos, obtivera um benefício sem precedentes, pela abertura das rotas marítimas, pelo alargamento da área de competição pela hegemonia em todas as antigas colónias portuguesas, e pela passividade dos EUA, assente na comprovada debilidade da sua percepção da África: foi curto o tempo de espera para o desembarque dos cubanos em Angola, foi curtíssimo o tempo necessário para que o Secretário de Estado Henry Kissinger avaliasse a crise interna de Portugal, ameaçado de sovietização, com a paliativa teoria da vacina.

Não consta das prospectivas numerosas desse tempo a previsão de que o Muro de Berlim seria derrubado apenas quinze anos mais tarde, e que as lideranças desse tempo ainda vivas, Gorbachev, Kohl, George

Bush, se reuniriam a meditar amenamente sobre essa data em que se iniciou, com justificada explosão de alegria dos povos libertados, uma época de ilusões que foram em parte concretizadas, mas em parte desfeitas até ao desastre da ordem mundial em que nos encontramos nesta viragem do milénio.

A queda do Muro permitiu aos ocidentais proclamarem que tinham ganho a guerra fria, quando o que parece mais razoável é entender que apenas não a perderam, porque a URSS foi pela doença da *fadiga dos metais*, que também afecta os impérios, que se dissolveu internamente, como Gorbachev recorda melancólico nas meditações recentes.

Por seu lado a Europa, que imediatamente acentuou o processo de *regionalização*, a caminho de um modelo federalista da nova invenção pelo Tratado de Lisboa, que deverá entrar em vigor neste aniversário dos 20 anos da queda do Muro, foi entretanto confrontada com o *unilateralismo* republicano dos EUA, reanimou para o Atlântico a memória do modelo dos *inimigos íntimos*, e adoptou como projecto ultrapassar numa década os EUA em competitividade: o conflito entre o americanismo vinculado a Marte, e o europeísmo vinculado a Vénus, alimentou ilusões que os factos rapidamente descredibilizaram.

Os desastres militares do unilateralismo americano, com expressão esdrúxula no Iraque e no Afeganistão, o desastre mundial do sistema financeiro que se independentizou dos poderes políticos, da regulação, e da ética, remeteram para os arquivos as teorizações do *fim da história* e do *conflito das civilizações*, a primeira ameaçando submeter o mundo aos padrões do neoconservadorismo republicano dos EUA, a segunda retomando a inquietação sobre a manutenção de identidade do país em vista da chegada das minorias ao poder, e sobre a capacidade de manter a segurança em face do exercício do poder militar pelo terrorismo global em rede.

De facto, a queda do Muro marcou o início de uma organização dos poderes políticos por regionalismos integradores, de que a União Europeia é modelo destacado, a requerer uma governança mundial em que a articulação contará com os Estados-baleia, como os EUA, a China, a União Indiana, cada um em si mesmo um grande espaço, e as referidas *regionalizações* em curso de organização por todas as latitudes.

Portugal reorganizou a sua governança do espaço europeu que lhe resta em moldes democráticos, vencendo a onda esquerdizante que ameaçou tomar o poder político, e encontrou o inevitável apoio externo, de que sempre necessitou, pela adesão à Europa em formação, acompanhando sempre os seus movimentos de alargamento e de reformulação dos estatutos de governo.

Indiscutivelmente registou avanços consideráveis na europeização das condições de vida, diminuiu as taxas de analfabetismo e fez explodir a procura da formação superior, usando as que foram oficialmente chamados as Novas Caravelas, mas com esquecimento de que as antigas caravelas eram construção nossa com madeira das nossas florestas e perícia nacional.

Paralelamente, a condição portuguesa foi sendo agravada pelas duas pressões da interioridade e da definição periférica, ao mesmo tempo que a reformulação da soberania, exigida pelo avanço da integração europeia, foi submetida a um modelo de *política furtiva*, longe da informação devida ao eleitorado, este a conhecer as por vezes exóticas directivas eurocráticas pelos efeitos, mas não pela origem das iniciativas, pela identidade dos responsáveis, pelo conceito de governo que as inspira. A distância entre o eleitorado e os titulares do poder cresceu, com uma resposta absentista que alarmou quanto à consistência de um civismo esclarecido.

Nas últimas eleições para a Assembleia da República (2009) nenhum programa eleitoral se ocupou dos condicionamentos que a política externa da União Europeia, na área da economia, condicionará a liberdade de escolha para enfrentar a parte que nos toca na crise mundial, nenhum programa eleitoral se ocupou da zona económica exclusiva cuja gestão dos recursos vivos passa para a Comissão Europeia pelo Tratado de Lisboa, nenhum se ocupou do ensino superior e da investigação científica, parcela fundamental da soberania sobrante para responder à competitividade que agora vai do Atlântico aos Urais, numa data em que pelo menos seis universidades da rede pública estão em crise financeira próxima da falência técnica.

Numa Europa carente de matérias-primas, de energias não-renováveis, e de reserva estratégica alimentar, com um relativismo devastador da solidez do tecido das sociedades civis, a condição exógena do país torna-o receptor dos efeitos colaterais que se somam aos descuidos próprios.

Ao lado do crescente passivo nacional de resposta às necessidades e objectivos da sociedade civil e do

Estado, este é estruturalmente envolvido, pela situação geográfica, nos desafios à segurança do Atlântico Norte, nos desafios à segurança do Mediterrâneo, nos desafios à segurança do Atlântico Sul. Ao mesmo tempo, obrigado à intervenção em grandes espaços diferenciados, União Europeia, NATO, CPLP, tem a complexidade da sua circunstância agravada pelo facto de cada um desses grandes espaços ter conceitos estratégicos nem sempre compatíveis, designadamente pelas relações com os outros grandes espaços a que os países da CPLP pertencem: o Brasil, por exemplo, ao MERCOSUL, Moçambique à Comunidade Britânica, Angola à reorganização do sul do continente, Timor obrigado a dormir com o inimigo que o submeteu a um genocídio brutal.

Todos estes desafios se acumulam numa data em que o valor fundamental da democracia é a *confiança*, e esse valor está posto em causa por um movimento de contra-democracia que afecta todo o espaço ocidental: debilidade das lideranças, a fadiga dos metais a atingir a potência líder do Atlântico, a fractura entre europeísmo e americanismo acentuada pelo unilateralismo republicano dos EUA, o relativismo a provocar a erosão das sociedades civis, a distância entre os eleitorados e os titulares dos órgãos de soberania a crescer, a população dividida por um multiculturalismo descontrolado, a insegurança a afectar a vida habitual, a crise da economia real a destruir os sonhos da sociedade da abundância, consumista, e marcadamente unidimensional.

Nesta circunstância, o Estado português, objecto dos desafios de posição, dos efeitos colaterais da crise mundial, e das debilidades internas estruturais e de funcionamento, continua a enfrentar o desafio de reformular o conceito estratégico nacional esgotado em 25 de Abril de 1974, a procurar a excelência que lhe consinta estar com voz ouvida nos centros de decisão para não ser apenas destinatário de decisões alheias, a medir a relação entre as exigências do conceito estratégico que finalmente assumir e as capacidades disponíveis para o servir. A narrativa do trajecto percorrido aponta para a categoria de *Estado exíguo*, isto é, deficitário em recursos humanos e materiais. O reforço do civismo para os novos tempos da intervenção portuguesa é urgente, para que a narrativa retome, interna e externamente, a dignidade da contribuição histórica de Portugal para o património comum da Humanidade.

Adriano Moreira

> PREFÁCIO À PRIMEIRA EDIÇÃO

1. Depois do aparecimento da primeira edição deste livro, em 1977, o carácter geracional da revolução de 25 de Abril de 1974 desenvolveu-se em termos de afectar muito seriamente o consenso nacional, que se degradou ao ponto de florescerem vários rebentos de separatismo em mais de uma região do pequeno território nacional.

Supomos que isso tem íntima relação com a estratégia indirecta em que se desenvolve a terceira guerra mundial em curso, de que adiante falaremos, mas também parece certo que o fenómeno geracional revolucionário tem responsabilidades directas no facto da deterioração do consenso, que tal estratégia aproveita mesmo quando não implanta.

A geração que era maior de cinquenta anos à data da revolução foi expulsa das responsabilidades de gestão na vida pública e privada, e ficou por aí sem função, com longos anos à frente para reconhecer que todo o seu futuro se resume a sofrer a paragem do seu tempo individual enquanto se consome em grande perda o tempo colectivo que não pára.

A excepção que muito provavelmente cada um se considera, não chega para constituir uma força socialmente operante, tal como uma andorinha não faz a Primavera.

Por seu lado, a geração que fez a revolução galgou de quatro em quatro todos os escalões das hierarquias, usando os cotovelos com o nome de saneamento, e encontrou-se com a posse de todas as alavancas do comando, sem experiência, sem projecto, e atordoada pelos discursos ideológicos que lhe pregaram em todas as línguas, e foram mais ou menos traduzidos, sem grande coerência, na profecia ambígua que dá pelo nome de Constituição da República.

Finalmente, a geração que assume a maioridade política nesta década de 80 não tem já responsabilidade no processo nacional anterior e posterior à revolução, está obrigada à maturidade precoce pela gravidade das circunstâncias em que lhe aconteceu nascer, entende com dificuldade o que fizeram os avós e os pais que ainda se encontram vivos na mesma terra que é de todos, e interroga-se sobre o futuro que poderá construir pelas suas mãos sem grande herança que lhe sirva de base para arrancar.

A comunicação entre as gerações processa-se com resistências inegáveis, que ocasionam cortes irreparáveis entre a experiência dos mais velhos e a criatividade dos mais novos, tudo em prejuízo da preservação do abalado consenso nacional.

2. Existe uma diferença fundamental entre ideólogos, revolucionários, políticos e estadistas. Dos primeiros, aquilo que nos chega são traduções sem concorrência de um pensamento nativo, que nenhuma das formações políticas em acção produziu dentro das suas fileiras. O internacionalismo é a regra do nosso tempo, mas isso não implica que a corrente do pensamento circule num único sentido, sem retribuição nascida nas originalidades nacionais.

A dependência neste campo é esmagadora, revela-se na pobreza da produção em todos os domínios das ciências sociais e da criação, e confirma-se na profusão de memórias que se alinham pelos escaparates como que a erguer o enorme epitáfio desejado por quem apenas tem passado e nenhuma mensagem de futuro.

Revolucionários e políticos, geralmente mergulhados num quotidiano sem grandes horizontes, constituíram legião no decurso destes poucos anos, mas é difícil fazer coincidir tal proliferação, em qualquer tempo e lugar, com uma época de crescimento e vocação para ultrapassar a apagada e vil tristeza.

Faltou até agora que os estadistas encontrassem maneira de se revelar e conduzir a acção, porque damos por certo que existem e que sabem que a moral de responsabilidade deve sobrepor-se às querelas de grupos e de indivíduos, e que é cada vez mais urgente que as formações políticas os reconheçam e deixem trabalhar.

A origem dos partidos que dominam a vida pública, nascidos de um acordo prévio entre uma restrita classe política e o MFA, que a autorizou a empreender o recrutamento de um eleitorado com observância de regras estritas, fez com que apenas nas eleições de 1979, para a Assembleia da República, começasse a revelar-se a identificação das correntes da sociedade civil com as formações partidárias que lhe foram impostas.

Este assomo de autenticidade da vida política não podia deixar de provocar o embate institucional a que assistimos, porque o poder sem adjectivações que tem vigorado é obrigado a seguir a lei da luta pela conservação, e teme com fundamento o confronto com essa força imaterial que é a legitimidade.

Para não falar do MFA, que a Constituição solenemente consagra mas que ganhou direito a um respeitoso silêncio, o Conselho da Revolução é o símbolo mais evidente do conflito que se esconde no problema da alternativa entre o poder militar e o poder civil, ou, em nível ainda mais insignificante, na questão absorvente de saber se o Presidente da República deve ser civil ou militar.

Nada disto pode fazer esquecer, antes relembra, que o problema é apenas o da luta pelo poder, e que a questão de saber a finalidade que lhe é consignada vem apenas em segundo lugar.

Neste panorama de uma sociedade perturbada em busca de um rumo nacional, a tentativa de reencontro com a legitimidade, que parece marcada pelas eleições de 1979, não pôde deixar de colocar em evidência as instituições que permanecem para além das mutações ocasionais da cena política, e que são o amparo duradouro da sociedade civil.

Enquanto não se define uma nova função do povo português num mundo conduzido para a unidade mais por obra da técnica do que da ética, e se procura a conciliação dos chamamentos europeus com as amarras ao triângulo Atlântico, e com a vocação ecuménica a renascer nos projectos desencontrados de um novo convívio útil com os Estados de expressão portuguesa, as instituições chamadas ao debate foram as Forças Armadas e a Igreja Católica.

A respeito das primeiras parece generalizar-se o acordo, mesmo não confessado, de que o MFA não se confundiu com elas, que sofreram as consequências de um processo desordenado como todas as outras instituições nacionais, e que a recuperação de valores tradicionais, como a disciplina, o restabelecimento da cadeia de comando, a promoção assente em regras experimentadas, deu mostras de ganhar terreno.

Mas anda longe da realidade imaginar que tais conceitos guardam o mesmo conteúdo do passado, atitude que parece afectar, sem utilidade, o debate sobre o papel das forças armadas nas suas relações com o poder político.

A doutrina tradicional no Ocidente, que a URSS assumiu com inteiro rigor, foi a da subordinação das forças armadas ao poder político, com ocasionais e transitórias inversões da regra.

Não há grande diferença, nesse domínio, entre aquilo que testou Luís XIV, o que discursou Estaline, ou aquilo em que acreditaram os fundadores da república norte-americana.

Mas tal doutrina tem de reconhecer-se que disse respeito ao enquadramento das forças armadas, sobretudo à oficialidade, numa época em que a sociedade civil fornecia um recrutamento de massas que esses quadros militares estavam encarregados de afeiçoar ao ideal nacional ou do Estado.

Não se ignorava que, não obstante o teor da doutrina e das leis, as forças armadas pesavam sempre no ambiente decisório da política pelo simples facto de existirem, mas assentava-se em que o sentir das forças armadas era o sentir da cadeia de comando limitada aos quadros permanentes.

As coisas alteraram-se substancialmente, porque a maioridade e a filiação política antecedem a incorporação, porque o recrutamento já não mobiliza desmotivados políticos que as forças armadas condicionariam, porque os quadros intermédios se qualificaram com graduações académicas em que baseiam uma obediência crítica, porque a oficialidade é obrigada a incluir uma tecnocracia de laboratório e a adquirir um conhecimento extenso da problemática social e política, o que tudo remeteu para a história longínqua os fiéis de César que o saudavam antes de morrer.

O manejo da cadeia de comando, sobretudo quando não está amparada numa definição de objectivos nacionais participados pela comunidade, tornou-se extremamente complexo, e não é difícil conceber que a simples detenção do poder se transforme num objectivo de recurso, só porque, mesmo sem o impulso das ambições pessoais, não há nada de mais transcendente a oferecer às energias concentradas nesse instrumento construído para impor.

Para a normalidade das relações entre as forças armadas e o poder político, não se conhece sistema que dispense o consenso nacional, que anda frágil, e uma definição de objectivos participados pela sociedade civil, que apenas está em processo.

Pelo que respeita à Igreja Católica, o reencontro com a legitimidade implicou uma tentativa de politização da hierarquia. É evidente que a vida fornece sempre exemplos que podem ser utilizados na luta política, onde as hesitações não são muitas para a construção de interpretações favoráveis. Mas parece claro que se a Igreja não pode ser uma Igreja calada, sob pena de caminhar para se transformar numa Igreja do silêncio, e contribuir para aprofundar esse fenómeno tão português do católico anticlerical, aquilo que lhe pertence é proclamar a doutrina, denunciar vigorosamente as ameaças e agressões aos valores de que é depositária, sem cuidar se a origem está num partido, numa formação activista, ou no próprio Estado.

Mas aqui termina a sua intervenção, porque o cristão não recebe instruções sobre a maneira como deve agir para se manter fiel à doutrina que aceita: é em completa solidão que assume a responsabilidade cívica, sem processo de transferência para terceiros.

Não existe formação política que se possa arrogar o título de filha dilecta da Igreja, e por isso ser cristão não é uma definição política.

Aquilo que sem dúvida pertence ao magistério é não consentir em que a sociedade civil seja mistificada por uma acção partidária que tenta adornar os adversários da doutrina com as vestes dos irmãos separados, antes se espera que mantenha e sustente a transparência dos princípios em que se baseia a total liberdade de opção.

Parece indiscutível que, desde o encerramento das conversações SALT II, o sovietismo adoptou a linha táctica de pregar a compatibilidade total entre os seus princípios e a visão cristã do mundo e da vida, uma linha de acção à qual muito conviria uma Igreja calada. E porque esta não tem registos de admissão ao culto, nem controlo de identidades, sem critérios exteriores que distingam o convicto do agente que se insinua, é muito de lembrar que na vida pública é pela acção que se reza, e pouco de esquecer que a experiência dos outros nem sempre deve ser ignorada.

3. A preservação do consenso nacional e uma nova definição de objectivos são problemas que surgem num contexto em que Portugal, como Estado, continua submetido a predominância de factores exógenos, numa conjuntura internacional em que a variável estratégica se mantém como dominante.

A geração que vai assumir a responsabilidade de intervir na gestão da coisa pública, nesta década de 80, não tem já lembrança existencial possível daquilo que foi a batalha ideológica mundial da guerra de 1939--1945, nem do desastre humano em que a guerra se traduziu. Não é suficiente saber pela memória escrita que morreram sessenta milhões de homens, que as cidades foram intencionalmente destruídas para quebrar as vontades nacionais, que grupos étnicos foram sistematicamente eliminados, que os padrões morais da sociedade civil não puderam socorrer os novos desafios provocados.

Também não há notícia que chegue para reviver, na imaginação desses novos responsáveis, a proclamada crença de que seria a última das guerras, que nunca mais um povo seria subjugado por outro, que o engrandecimento territorial pela força chegara ao fim, que o direito presidiria à relação entre as potências, que a segurança e a liberdade seriam iguais para as nações grandes e pequenas.

Ainda se encontram no comando dos mais poderosos aparelhos estaduais do nosso tempo, homens que atravessaram esse cataclismo, sobrevivendo o suficiente para testemunharem que as promessas não corresponderam aos factos, que a realidade teimou em seguir por caminhos diferentes dos prometidos, que o preço dolorosamente pago pelo género humano não recebeu a esperada recompensa.

Não parecia excessivo esperar que a experiência vivida da distância entre os projectos e o acontecido, fizesse de tais homens, agora a despedir-se da vida sem remédio, autênticos defensores da manutenção da paz, partidários das soluções negociadas, sustentadores da razoabilidade na condução dos negócios que interessam à vida de relação entre os povos.

Admitindo, na dúvida, que tal é o caso, o certo é que tal experiência está a despedir-se dos comandos, que outra geração estende as mãos para as alavancas do poder, e que tudo indica a possibilidade de, mais uma vez, retomar plena vigência a regra do saber comum, segundo a qual a experiência dos outros não aproveita a ninguém.

Pelo que respeita a esta degradada Europa, o marechal Tito é certamente um símbolo desta ameaçadora conjuntura. Curtido na violência revolucionária e na guerra, seria difícil, em 1945, antever que a sua sobrevivência, na entrada da década de 80, haveria geralmente de ser considerada como uma das amarras daquilo que ainda chamamos a paz.

À medida que gradualmente se extingue o que resta da vida num corpo forçadamente mantido em alerta, os rumores da guerra, as movimentações das tropas, e o medo crescem de intensidade.

4. Na época que foi chamada – a paz que começou em 1945 – o primeiro-ministro MacMillan de Inglaterra tornou-se célebre por ter filiado o processo mundial de mudança, então em curso, naquilo que chamou – os ventos da história.

Como tantas vezes acontece, vai ser mais lembrado por tão ocasional expressão do que por toda a sua acção de homem público que poucos reterão de memória.

Mas, na década de 50, outro veterano europeu, Spaak, animador da NATO, proclamava na Assembleia-Geral da ONU, depois da experiência dramática da Hungria, que aquilo que movimentava os europeus, no sentido de criarem e fortalecerem uma unidade de defesa, era pura e simplesmente o medo. O medo da opressão, o medo da invasão, o medo da subjugação, o medo de perder o que lhes ficara ainda de património depois do desastre da guerra há pouco terminada.

Talvez seja necessário juntar as observações de ambos, para reconhecer que aquilo que sopra, não apenas sobre a Europa, mas sobre o Mundo, é o vento do medo. Um medo sem abrigo, porque a experiência ainda recente é que aquilo a que chamamos Estado se demonstrou uma máquina eficacíssima de matar sem resolver nenhum problema, um instrumento sem travagem que proclama o objectivo da paz e resvala para o conflito armado, ciclicamente encaminhado para o holocausto sem muitas vezes conseguir imputar a decisão a um processo claramente determinado e querido.

Na série longa de conflitos contidos, que semeiam a nossa história recente, a perspectiva que resulta não é a da racionalidade controlada do processo, é antes a de que o acaso cobre uma larga faixa das possibilidades de uma nova conflagração geral.

Muita da agitação oficial e oficiosa, traduzida numa sucessão alucinante de viagens, de encontros, de comunicados, de declarações, de comentários, de promessas, de acordos, deixa apenas a impressão do completo vazio, da inutilidade consciente, do movimento sem finalidade, como se houvesse o propósito de preencher os tempos livres e entreter o eleitorado.

Tudo porque, abstraindo desse terrível acaso que a todos ameaça, o perigo agudo, dependente de uma decisão motivada, está nas mãos de um pequeno grupo de homens, que geralmente todos desconhecemos, e que alcançaram o poder sem percorrer a carreira submetida a debate público.

Nunca o mundo foi tão interdependente como agora, não houve antes época histórica em que a ciência e a técnica tenham alcançado uma tal capacidade de intervir na natureza, jamais a informação foi tão copiosa, não tem precedentes o grau aparente de participação generalizada na formação de decisões, nunca houve tal quantidade de inteligência sobre a terra porque nunca os homens vivos foram tantos, e nunca também o destino do género humano esteve proporcionalmente dependente de tão poucos. São escassos os que detêm os meios da guerra bacteriológica, da guerra química, da guerra nuclear, e são menos os que podem decidir que chegou o momento de colocar esses meios em acção.

A cuidar pelos discursos que todos os dias ouvimos em todas as línguas, e ao reparar na importância histórica que cada agente político atribui à sua própria intervenção no Mundo, desde a paróquia onde rege até às assembleias internacionais onde perora, ficar-se-ia com a impressão de que o futuro está por toda a parte em mãos seguras, e definido pela razoabilidade lúcida.

Os factos não abonam essa imagem enganadora, antes nos evidenciam que nunca o futuro de todos esteve dependente de tão poucos desconhecidos.

Poder-se-ia lembrar que afinal todo o esforço, como diria Sartre, se destina a evitar o derramamento de um sangue que finalmente será derramado, porque todos morrem. Mas o ideal teimoso do homem comum é morrer em paz, e assegurar em paz a continuidade das gerações.

Sabemos porém que aquilo que nos ameaça é a própria destruição do género humano e que a estrutura mundial do poder nos conduziu a uma situação em que a maioria dos povos poderá ser obrigada a participar nas guerras dos outros, pelos interesses dos outros, quando e onde os outros o decidirem.

Esta alienação, embora com precedentes, nunca foi tão vincada e extensa, e nunca houve um tal desafio àquilo que tradicionalmente dava pelo nome de soberania. Os homens fogem das suas guerras, para serem empurrados para as alheias. Razões mais do que suficientes para que o vento do medo sopre sobre o Mundo.

5. A falta de autenticidade, traduzida na diferença entre o proclamado e o feito, começou a manifes-

tar-se imediatamente no texto da Carta das Nações Unidas. De facto, além do tratado que as instituiu ser mais o ditado das grandes potências do que a expressão do consenso de todas as soberanias alinhadas entre os vencedores, também procurou consagrar no mesmo articulado duas tradições ocidentais que sempre viveram em conflito.

Por um lado, a tradição maquiavélica que aponta para a supremacia directora de uma ou de um grupo de potências; por outro, o ideal de paz pelo direito, sendo este o garante da integridade das nações e o paradigma da solução de todos os conflitos.

Inspirados pela convicção de que, em assuntos que considera de interesse vital, nenhuma grande potência se disporia a aceitar decisão maioritária das restantes, deram expressão nos artigos 23 e seguintes da Carta ao princípio aristocrático do directório, e assim instituíram o famoso direito de veto que resulta do estatuto do Conselho de Segurança.

Para a Assembleia Geral ficou a possibilidade de recorrer para aquele famoso tribunal da opinião pública mundial, em que já o Presidente Wilson professara acreditar na data da fundação da malograda Sociedade das Nações.

O resultado foi que apenas funcionou realmente o artigo 52 da mesma Carta, onde estão previstos os acordos regionais para a manutenção da paz e da segurança internacionais, que é pura e simplesmente o reconhecimento da legitimidade do clássico método das alianças.

A manipulação da semântica, que fez desaparecer de todos os países os ministérios da guerra, não chega para esconder que não se andou um só passo nesse domínio e que continuamos amparados exclusivamente na doutrina secular contra a guerra injusta, e no juízo que cada potência faça sobre a maior conveniência ocasional de manter a paz. A NATO e o Pacto de Varsóvia são o resultado inevitável do pequeníssimo avanço logrado pelo ideal da paz pelo direito.

Como os factos começaram a falar mais alto que toda a retórica intencional, a década passada documentou uma constante preocupação das potências líderes de cada uma das organizações militares no sentido de convencerem os povos de que não estava a decorrer entre elas um processo de estabelecimento de um condomínio mundial.

As recentes memórias de Kissinger mostram um frequente repúdio dessa acusação, que leva implícita a proclamação do medo, de todas e cada uma das pequenas potências, e das regiões mais fracas, de poderem servir de moeda de troca para regular o contencioso oscilante dos grandes poderes estratégicos.

Bem pode acontecer que o fundamento não exista, mas que o medo permanece como um dado importante da conjuntura parece um facto inegável.

Tal medo parece encontrar fundamento nos termos em que publicamente evolucionou a questão das armas estratégicas, desde o período da dissuasão unilateral (1945-1951), passando pelo período da dissuasão bilateral (1952-1959) e pela disputa cósmica (1959-1961).

No dia 17 de Abril de 1961 deu-se o incidente da Baía dos Porcos, em Cuba, o mundo soube que esteve à beira do holocausto, e verificou que se sucederam os acordos entre a URSS e os USA.

De facto, isolava-se o problema da proliferação vertical, que só interessava às grandes potências, e dava-se vigência ao conceito de Krustchev, já de 1957, ao declarar que o ponto central do problema se encontrava nas relações entre as duas superpotências.

O conjunto das negociações conhecidas pela sigla SALT (*Strategic Arms Limitation Talks*), que levou ao Tratado de 26 de Maio de 1972, conhecido por SALT--I, e o pendente Tratado SALT-II, documentam o desenvolvimento desse realismo. Por outro lado, a Acta Final da Conferência sobre a Segurança e a Cooperação da Europa, assinada em Helsínquia em 1 de Agosto de 1975, aquilo que documenta, sob a invocação dos tradicionais princípios humanísticos, é a consolidação conjuntural do *status quo* entre as superpotências.

O ponto central continua a ser o das armas estratégicas e das armas tácticas, sendo as primeiras, aquelas com as quais as superpotências podem agredir directamente os respectivos territórios e populações de uma e outra, e sendo as segundas aquelas com as quais se poderá travar a luta sobre o território dos outros. É sobre esses outros que sopra principalmente o vento do medo, e é nesses outros que estão compreendidos todos os povos europeus.

6. Frequentemente se omite que, na definição das forças em presença, e na análise estrutural do seu alinhamento, não basta o ponto de vista quantitativo para se medir a eficácia relativa do aparelho militar de intervenção.

Saber que as esquadras soviéticas cresceram em presença no Mediterrâneo, nas últimas décadas, sempre com o comentário ocidental de que a ameaça não era séria até que a evidência calou o optimismo de consumo; tomar nota de que, em Dezembro de 1979, a URSS mobilizou 100 mil reservistas, especialmente de tanques, artilharia, engenharia e transportes, alertando mais 50 mil, e que o mesmo aconteceu na Hungria, Bulgária e Checoslováquia, com a explicação de que a situação no Irão o exigia; publicar que a superioridade estratégica da URSS será permanente, até 1985, em relação aos EUA e que o primeiro golpe pode destruir os silos terrestres do adversário; enumerar os aviões, os submarinos, os mísseis, as ogivas múltiplas, e baptizar tudo de siglas pseudo-científicas para aumentar o impacto: nada disto é suficiente para medir a capacidade de intervenção, nem a enumeração das armas dos contrários, feita com igual aparato, chega para medir a capacidade de resposta.

Faltam sempre os elementos qualitativos, isto é, a credibilidade e a decisão, que podem diagnosticar-se mas não oferecem muitos critérios de quantificação.

A primeira, que até pode existir sem a segunda, como a segunda pode existir sem a primeira, traduz--se não apenas na convicção adquirida pelo adversário de que os meios disponíveis serão usados, pelo que tomará isso em conta para medir a audácia e o alcance das suas decisões agressivas; mas exprime-se ainda, e também, na convicção dos aliados de que todos estão dispostos a correr em conjunto os riscos da agressão aos interesses vitais de qualquer deles.

Se a falta do primeiro elemento de credibilidade pode levar a erros fatais de julgamento, como aconteceu ao nazismo ao desencadear a segunda guerra mundial, porque não acreditou na decisão das democracias ocidentais; a ausência de credibilidade dentro das alianças, especialmente quando afecta o Estado que assume a liderança, torna esta ineficaz, insegura e inoperante.

Parecem existir muitas razões para admitir que a falta de credibilidade está afectando muito seriamente a aliança ocidental.

A decisão do general De Gaulle, quando abandonou a NATO, mantendo-se embora dentro do Tratado, foi seguramente baseada na falta de credibilidade da liderança da organização militar, uma expressa demonstração de que não considerava seguro que os EUA usassem o seu poder estratégico no caso de uma agressão àquilo que resta da Europa.

Não parece que o general tenha encontrado, com a sua, *force de frappe* francesa, um instrumento alternativo que forneça aos europeus a segurança que ele não creditou aos americanos.

Mas é justamente esse o facto que determina o crescente sentimento de insegurança, a vulgarização do estado de espírito que considera a resistência sem utilidade, a previsão das deserções maciças em caso de emergência, o desencanto que está a fazer emigrar os capitais europeus para outros lugares, a quebra da tradicional iniciativa económica, a prevista descida do nível de vida europeu que não se explica apenas pelos condicionalismos provenientes dos custos da energia e da dependência em que todos os países da área se encontram nesse domínio. O medo, que os conselheiros do nosso D. Afonso IV julgaram ser da mesma cor da prudência, é uma componente que não vale a pena ignorar da conjuntura ocidental.

7. O panorama da Europa Ocidental, considerada a área isoladamente, não deixa prever nenhum conflito de interesses que não possa ser resolvido pelos métodos clássicos da negociação, da arbitragem, da conciliação, do acordo, da intervenção judicial quer do Tribunal Internacional de Justiça quer do Tribunal das Comunidades. A componente do medo resulta de factores exógenos e muito principalmente da manutenção do poder estratégico em duas potências que, antes de quaisquer outros, consideram fundamentais os seus interesses estaduais.

Não se trata da cruzada ideológica, da redenção dos homens, do direito natural a implementar a acção, da sede de justiça a determinar as decisões. Tudo isto, que é o legado humanista da nossa história, está reduzido a instrumento da estratégia indirecta em que se analisa a verdadeira III guerra mundial, que é cada vez mais evidentemente o nome da época que costumamos chamar – a paz que começou em 1945.

Serve para mobilizar a opinião pública mundial, estende-se como um manto de fantasia sobre a luta pelo poder, define as imagens que cobrem a realidade, aprofunda os conflitos sociais nas retaguardas, transfere os custos do conflito real para as formações envolvidas nas confrontações locais, preenche o domínio da estratégia indirecta em que a guerra se vai desenvolvendo.

Subitamente, porque é decidida a retirada do Vietname ou, mais vincadamente, porque a soberania portuguesa se retira de todos os seus territórios nas duas costas de África, a linha do Índico para o Atlântico fica aberta livremente às esquadras soviéticas e todos os povos ribeirinhos se encontram envolvidos numa definição estratégica que os excede, para a qual não contribuíram, e que pouco está ao seu alcance influenciar.

Porque o Irão se afunda dentro do esquema ocidental de defesa e todas as soberanias da área, fortemente ligadas ao petróleo de que os ocidentais dependem, são obrigadas a meditar na estabilidade interna, acontece que Afonso de Albuquerque, o grande capitão, passa a ser um autor cuja leitura é aconselhável e útil aos responsáveis pela segurança dos interesses americanos, que enviam rapidamente negociadores e forças para os mesmos lugares que o lúcido governador já marcara sobre a carta de batalha.

Depois de um quarto de século a sustentar e praticar que a segurança do Atlântico Norte não precisava de se apoiar numa organização de segurança do Atlântico Sul, fazendo orelhas moucas às vozes discordantes que nunca faltaram, os perturbados chefes políticos e militares da NATO descobrem a evidência e mandam os seus graves ministros e generais a explicar, pelo mundo, que o seu flanco sul, do dispendiosíssimo esquema defensivo, está a descoberto.

A questão é que sobre essas águas sem defesa flutuam, em cada instante, reservas indispensáveis para manter em funcionamento a máquina sociopolítica dos Estados ribeirinhos. Sem para isso terem contribuído, e sem poderem controlar as consequências da nova definição, territórios e povos, e muito particularmente os arquipélagos de soberania espanhola e portuguesa, encontram-se sobre a linha de contacto de ambas as áreas. Assumem assim um relevo estratégico que faz renascer a teoria do triângulo, tão evidente nos séculos XVII e XVIII, mas sem que as soberanias peninsulares tenham nessa área o poder que nesse tempo ainda manejavam.

O triângulo atlântico não mudou, seja qual for a linha de base da definição, as tradições culturais continuam implantadas, mas o quadro das soberanias é outro, a força de cada uma delas tem diferente medida, os sinais ideológicos extremaram-se, os planos de expansão radicam noutras fontes e projectos, o predomínio dos factores exógenos parece indiscutível.

As áreas tornam-se estratégicas sem qualquer decisão ou plano das soberanias instrumentalmente envolvidas nos planos de batalha dos outros, e sem o amparo da doutrina da neutralidade, que os pensadores foram penosamente construindo durante séculos de pesquisa e de pregação.

A neutralidade não está hoje ao alcance da definição autónoma de nenhuma soberania, e nem sequer o neutralismo conseguiu ser esse refúgio que ambicionou construir em face do conflito estratégico mundial. Não é neutral, nem ao menos é neutralista quem quer, apenas o é quem pode, e como regra só pode se interesses alheios lho consentem.

E talvez por isso que todo o pessimismo europeu ocidental, a desconfiança gaulista que permanece viva e herdada pelos sucessivos governos, a presumida elevada taxa de deserção em caso de emergência, a dependência global em relação aos produtores de petróleo, nada tem sido suficiente para inspirar, até agora, qualquer tendência séria para uma neutralidade europeia, porque a alternativa mais visível continua a ser entre o atlantismo e a finlandização, sem mais escolha.

Isto naquilo que respeita à possibilidade de uma decisão nascida no consenso europeu a respeito de um alinhamento, porque paira sempre a inarredável possibilidade de o pouco que resta da Europa, ser apenas uma eventual moeda de troca nos arranjos das superpotências.

8. As circunstâncias que até 1974 faziam com que a soberania portuguesa fosse um dado a tomar em conta em praticamente todos os teatros de operações sectoriais que se podiam antever, encaminharam-se no sentido de envolver Portugal na problemática do triângulo atlântico, tendo influenciado a definição deste mais do que qualquer outro país. E porque não se trata de uma potência militar considerável, nem de um parceiro económico de importância, acontece que a sua intervenção deu relevo a um novo aspecto dos factores da capacidade política internacional, ao qual temos chamado o – poder funcional.

Trata-se da detenção de uma capacidade de contribuir para a realização dos objectivos a cargo de um ou de vários poderes políticos coligados, independente de toda a capacidade de intervenção militar, no caso da subida aos extremos. Pode ser a posse de uma fonte de matérias-primas, a possibilidade de fornecer santuário a indústrias vitais, a posição que admite a constituição de um celeiro para a batalha, a simples situação geográfica nas linhas vitais de trânsito, abastecimento e repouso.

O manejo deste poder funcional parece uma novidade neutralista, sobretudo a partir da provocada crise do petróleo, mas não parece difícil reconhecer que foi o único instrumento permanente da diplomacia portuguesa, especialmente depois da guerra civil espanhola. Durante a crise fundamental que dura de 1960 a 1974, na qual se joga e perde o império, é apenas o poder funcional que ampara a manutenção da mais extensa linha de batalha do Mundo: sustenta-se que a segurança ocidental não é possível sem a manutenção do poder funcional português nos lugares de sua soberania, e que a manutenção desta soberania depende da solidariedade do lado ocidental em que se inscreve.

Apenas o facto de alguns poderes ocidentais terem aceitado esta tese é que explica as solidariedades que sem ostentação permitiram uma tão longa batalha, e só a derrocada tornou evidente para a aliança que não há defesa do Atlântico Norte sem defesa da segurança do Atlântico Sul.

As declarações dos responsáveis da NATO multiplicam-se nesse sentido, ao encontrarem-se subitamente com um Atlântico dividido pela frágil muralha que são os arquipélagos de soberania portuguesa e espanhola. O poder funcional peninsular está fundamentalmente concentrado nesses pontos, e isto não pode deixar de recomendar a análise teórica e aplicada do poder funcional.

a) A primeira nota que ocorre salientar, ao tentar definir os quadros de referência do poder funcional, é que hoje ele se encontra situado numa definição estratégica mundial em que o excesso de poder das grandes potências aumentou a liberdade de acção das outras, por muito contraditório que pareça.

Acontece que a capacidade de agressão e resposta dessas grandes potências adquire um tal grau de risco, para elas próprias e para a humanidade em geral, que se vêem obrigadas a rever a tabela de interesses que consideram vitais e justificadores da subida aos extremos.

Muitos dos conflitos que, ainda há meio século, implicariam o recurso imediato a diplomacia da canhoneira, são relegados para a categoria de incidentes menores, ou a resolver pela negociação, ou simplesmente a deixar que o tempo os resolva ou faça esquecer. Grande parte da arrogância da Líbia, do desembaraço da revolução do Irão, da intervenção de Cuba, apenas são possíveis porque o excesso de poder limita a liberdade de acção das grandes potências desafiadas.

Não se pode talvez dizer que a paz ganhou com isso, mas pode admitir-se que a razoabilidade dos pólos estratégicos foi obrigada a um exercício útil, que o salto dos meios convencionais para o patamar nuclear foi contido, e que a busca de uma nova ordem internacional foi incentivada.

O enorme risco está na falta de sentido da medida da nova liberdade adquirida, na rapidez com que entretanto cresce o número de países que podem dispor das armas nucleares, na frequência com que o aventureirismo coloca tal liberdade e esses meios em mãos irresponsáveis. Sobretudo porque a vertigem do poder funcional parece fazer esquecer algumas vezes que a sua dimensão e eficácia não resultam de uma virtualidade própria, dependem da estrutura mundial do poder e da contenção que as grandes potências decidem impor à sua própria acção.

O abuso do poder funcional, como está por exemplo a acontecer com o petróleo, confia na razoabilidade dos consumidores atingidos, mas parece esquecer que são também estes últimos os juízes dessa equação de interesses, e que algum deles pode subitamente resolver que a esfera dos seus interesses vitais está em perigo.

O holocausto com cujo risco os analistas aumentam o medo que hoje dá cor aos ventos da história pode ser determinado não apenas por qualquer das verdadeiras potências em busca de realizar o seu desígnio político, mas por uma pequena potência, um desatinado pequeno governante, um aventureirismo bem sucedido, que lança mão das alavancas de um poder funcional e abusa disso.

Que as potências, desafiadas por esta contingência, desenvolvam os processos e meios da estratégia indirecta, e procurem assegurar o controlo e alinhamento dos poderes funcionais semeados pelo Mundo, parece uma consequência que não é de estranhar, sem que por isso mereçam aprovação.

O grave é que não se conhece estratégia indirecta, com tal objectivo, que não implique a invasão daquilo que num passado recente se chamava a jurisdição interna, e não parece que tal invasão dispense o refinamento do que temos chamado a clandestinidade do Estado.

No manejo da opinião pública, na sustentação dos grupos de interesse e de pressão, na interferência nos processos eleitorais, na agitação social, com frequência afloram as intervenções das grandes potências a deixar supor a profundidade da luta em que se empenham dentro dos pequenos países, para assegurarem a tomada, manutenção e exercício de um aparelho de Estado que alinhe com os seus interesses vitais.

Não faltam oportunidades em que mutuamente se denunciam, e muito provavelmente é quando mentem que melhor nos deixam pressentir a verdade. Mas não pode deixar de reconduzir-se a tal estratégia indirecta a corrida diária de personalidades ostensivamente ligadas a internacionais, que vão pregar em terra alheia o que lhes parece conveniente para os nativos mesmo quando não conseguem soluções nas áreas domésticas; a frequência crescente com que os diplomatas, ao serviço de países ou de organizações internacionais, são convidados a procurar outras paragens; o crescente envolvimento das representações diplomáticas ostensivas nos processos de formação de decisões políticas e opções dos países onde estão acreditadas; e, no campo soviético, a prática institucionalizada da intervenção militar a pedido de autoridades locais previamente declaradas amigas e legítimas, uma conduta que parecia completamente desactualizada desde a falência da Santa Aliança, onde a Rússia já teve um papel de relevo.

b) No mundo interdependente em que nos aconteceu viver, com uma unidade determinada por factores técnicos que a ética não acompanhou, a soberania deixou de corresponder ao conceito clássico que o direito internacional amparava, e não se perfilou em termos de ser possível uma nova conceitualização pacífica.

Sabemos que o poder continua a ser a variável fundamental do processo em curso, mas também a experiência nos demonstra que a integridade e inviolabilidade do território, a igualdade dos Estados, a liberdade de decisão, a reserva da jurisdição interna, tudo sofreu redefinições regionais que exigem uma nova e minuciosa formulação de tipos de poder, tal como acontecia antes de a revolução ter proclamado a igualdade política das nações.

Estas não são politicamente iguais, o fenómeno da soberania limitada alastra mais rapidamente do que o reconhecimento do facto, certas faculdades que antes não se autonomizavam na análise do poder político passaram a ser a única expressão internacional desse poder, a jurisdição interna não tem medida igual para todos os povos. O poder financeiro, o poder tecnológico, o poder cultural, o poder funcional, são mais identificadores de cada um dos Estados, do que o velho conceito de soberania.

Talvez não possa atribuir-se a Portugal internacionalmente, nesta data, mais do que um poder funcional, que assenta na posição geográfica, e que é determinado por factores exógenos, todos relacionados com o conflito estratégico mundial.

Que o ponto crítico desse poder se encontra nos arquipélagos, também parece de admitir. Por outro lado, a debilidade militar, a dependência energética, tecnológica e financeira, não tornam fácil enunciar factores objectivos em que se apoie firmemente a defesa da jurisdição interna contra os envolvimentos da estratégia indirecta.

São antes os factores qualitativos que avultam, e nenhum deles pode ser olhado com descaso: - a credibilidade dentro e fora das alianças, o consenso preservador da identidade, a fidelidade a valores comuns que aparecem expressos naquilo que chamamos a nacionalidade.

Abril de 1980.
Adriano Moreira

> INTRODUÇÃO

1. TODAS AS CONJUNTURAS POLÍTICAS cunham uma terminologia que lhes serve de identificação, e que dispensa, em várias emergências, a necessidade da formulação de um pensamento adaptado às exigências dos interesses em causa. O verbalismo preenche os espaços vazios, e o simples discurso vai entretendo a falta de propostas, e ocultando a perda definitiva de valores aos quais não se acudiu a tempo. Neste processo, a omissão habitual, quando não sistemática, da referência a palavras que invocam valores não participados ou combatidos pelas forças em presença, assume uma inegável importância sintomática porque o silêncio é, no processo político, uma fonte documental tão importante como o discurso. Aquilo que se esconde está em luta com aquilo que se ostenta. Esta comum observação metodológica tem particular importância sempre que os ınstrumentos ideológicos e de comunicação ficam monopolizados, seja qual for a composição do bloco do poder que tenha conseguido capturar tais instrumentos.

Não parece necessário qualquer esforço para reconhecer que o processo português em curso requer atenção para este problema, não sendo também difícil de admitir que muitas das palavras, que se tornam típicas, ilustram pouco a língua portuguesa que se vai tornando corrente. Compreende-se que algumas das pessoas que falam e escrevem encontrem nessa inovação um recurso pessoal indispensável para expressarem o seu vigor intelectual e firmeza de convicções, mas é pena que o simples acaso torne algumas raras vezes impossível deixar de as ouvir ou de as ler. Não parece indispensável estender à linguagem uma tal paixão ideológica pela igualdade que acaba por dar cidadania igual à palavra e ao palavrão, à crítica das opiniões e ao insulto a quem opina, ao combate ao governo e à difamação de quem governa, ao repúdio das ideias e à degradação de quem as sustenta. Tal vulgaridade, que muito frequentemente apenas procura esconder a fraqueza, não parece fazer falta para dar carácter a nenhuma conjuntura mas, naturalmente, a decisão pertence aos responsáveis pela mesma.

2. Entre as palavras frequentemente esquecidas no processo em curso, encontra-se uma que recebeu veneração secular: Pátria. Para quem, e são muitos, viveu e espera morrer na fé de que o patriotismo é parte fundamental dos valores cívicos, a omissão é dramática.

Faz parte de uma sistemática erosão das resistências aos imperialismos em curso de expansão, a criação de um ambiente de descaso para com tal conceito, e a sua confusão intencional com agressividades nacionalistas de um passado europeu não muito antigo. A classe, o partido, o grupo, ou o próprio interessado, ocupam intencionalmente toda a cena, instalando a diferenciação e a divisão no primeiro plano das inquietações gerais, e procurando fazer esquecer a Pátria, que é a mais sólida componente do consenso cívico. Isto só acontece em sociedades que tendem a ser mais dependentes de poderes externos do que internos, politicamente exógenas, e não se verifica em nenhum modelo político em expansão. É um revelador de que a interdependência, que é hoje a condição de todos os Estados, tende a ser substituída pela simples dependência que é a condição dos satélites de todos os sinais ideológicos.

O patriotismo é uma virtude celebrada diariamente na China, na URSS, nos EUA, na África, nas Américas, e o culto da bandeira não parece ter evitado em nenhum lado o florescimento dos talentos, as diversidades do pensamento, as alternativas fecundas, usando a liberdade possível conforme os regimes. Faz parte do patriotismo não repudiar a herança histórica da Nação, e nenhum desses países, ainda quando teatro de uma revolução, alguma vez o tentou sequer. São os regimes e os governos contingentes e fracos que passam o tempo a queixar-se das heranças recebidas, como entre nós os monárquicos liberais faziam com os legitimistas, os republicanos com os monárquicos, os corporativistas com os republicanos, os neocapitalistas com os corporativistas, os abrilistas com todos, e cada novo governo com o anterior. Cada um dizendo-se vergado ao peso da herança recebida e, naturalmente, absolvido, por isso mesmo, dos seus próprios erros e incapacidades.

Acontece que a Pátria não pode repudiar nada, e a herança soma todas as grandezas e misérias. Nesta herança se encontra o activo e passivo de todas as épocas e gerações, e lá ficará inscrita a chamada descolonização exemplar. Os responsáveis podem insistir em definir uma imagem não sangrenta do 25 de Abril, assim como, desmentindo isso, a classe política que contratou pode clamar que não teve nada com o processo de retirada do Ultramar que se seguiu: na herança da Pátria ficará inevitavelmente o sangue derramado de muitos milhares de homens inocentes, da Guiné a Timor, a maior parte friamente executada em obediência a regras codificadas de luta revolucionária.

A Pátria não tem processo de inocência. Reflecte todos os actos dos seus filhos. Cada geração volta ao pé da mesma terra e é recebida maternalmente sem distinção, seja qual for o legado que acrescentar à herança ou a delapidação que produziu. A Espanha liberalizante em formação continuará a ser a herdeira da lenda negra sul-americana. Os EUA democráticos não podem excluir o genocídio dos índios do seu activo. A URSS soviética arrasta o peso da guerra imperial perdida contra o Japão, o esmagamento tradicional da Polónia, a servidão estrutural, a perseguição secular dos judeus, o colonialismo em que persiste. A Pátria recebe tudo sem benefício de inventário como o nosso corpo recebe um tumor maligno e as árvores morrem do raio. Não vale a pena procurar esquecê-la, embora seja evidente que a tentativa é reprovável. Vai durar mais do que todos os que a exaltam ou ferem, e escreverá no seu livro a biografia dos filhos sem nada omitir.

No balanço geral de cada época, o patriotismo espera ter mais razões de orgulho do que de mágoa, e encontrar um saldo positivo ao serviço do género humano. A gesta dos descobrimentos, a unificação do globo, o desbravamento da África, a construção do Brasil, a angiografia, os primórdios da antropologia, o método experimental, são a Pátria. D. Afonso Henriques, D. Nuno Álvares Pereira, o Infante Dom Henrique, Mouzinho de Albuquerque, D. João de Castro, Egas Moniz, são a Pátria. Também o são as brutalidades cometidas no Oriente, as entradas contra os índios, o trabalho forçado, a escravidão, os traidores de 1580, os heróis de 1640, e os desertores e os mortos da década de 60. Tudo lhe pertence e nos cabe, porque a Pátria não se escolhe, acontece. Para além de aprovar ou reprovar cada um dos elementos do inventário secular, a única alternativa é amá-la ou renegá-la. Mas ninguém pode ser autorizado a tentar a sua destruição, e a colocar o partido, a ideologia, o serviço de imperialismos estranhos, a ambição pessoal, acima dela. A Pátria não é um estribo. A Pátria não é um acidente. A Pátria não é uma ocasião. A Pátria não é um estorvo. A Pátria não é um peso. A Pátria é um dever entre o berço e o caixão, as duas formas de total amor que tem para nos receber.

3. A redução do território português à sua plataforma europeia, faz lembrar aquele dia longínquo em que D. João I pediu o conselho de seus filhos para decidir sobre o futuro do país. Não se fiava de si próprio, propondo as suas dúvidas à escolha da geração que em breve tomaria conta do poder. Grande parte dos homens que andam agora no exercício do mando, ou que mais humildemente se limitam a ser mandados, poderão encontrar no exemplo do Mestre de Aviz uma sugestão útil. Entre as dúvidas muitas que podem ser inventariadas avulta a de saber como é

que deverá ser mantida a ligação da nossa emigração com a Pátria que também lhe pertence. Em tempos, ocorreu-me ser urgente organizar de algum modo institucional a ligação entre todos, à margem da política conjuntural e das conveniências dos governantes transitórios. Chamei à nossa diáspora a Nação peregrina em terra alheia, e organizei o que se chama a União das Comunidades de Cultura Portuguesa. O objectivo era que os portugueses e seus descendentes, espalhados pelo Mundo, compartilhassem das inquietações de cada grupo distante e da Pátria comum. Foi pena que o entusiasmo das comunidades ao redor da terra não conseguisse convencer o governo corporativo de que a política partidária não deveria entravar a obra; foi lamentável que o governo neocapitalista não conseguisse ter melhor projecto do que supor que tudo deveria ser mobilizado para a invenção de um novo carisma pessoal; será uma tragédia que as comunidades venham a ser o campo de disputa dos partidos em busca de filiados e contribuições, em vez de serem uma longa mão e um válido apoio da Pátria que é de todos, os que partiram e os que ficaram. É de esperar que a nova geração, em face de um mundo diferente, mais comparticipado e interdependente, possa superar essa mediocridade e ter uma imaginação mais fecunda para encontrar as fórmulas processuais que sirvam o interesse de Portugal. Tal interesse, não duvidamos que seja o de manter permanentemente ligados a Portugal os portugueses que emigram, os seus descendentes, e as comunidades filiadas na cultura portuguesa. Do exterior, é a única força que legitimamente pode e deve ajudar à definição de novos rumos, sem rancor nem interesses inconfessáveis.

4. Ao reconhecer esta legitimidade exclusiva à Nação que peregrina em terra alheia, também se exclui a de qualquer das forças que andam a procurar transformar-nos em satélites ideológicos, económicos e políticos. Podemos ter de nos vergar à dureza dos factos, mas o patriotismo não admite que isso aconteça com o consentimento dos portugueses e menos com a colaboração de nacionais. Por outro lado, acreditamos que não fazem bem os que acarinham um projecto político que todo se reduz a um ajuste de contas. Nenhum estadista pode aprovar essa atitude, por grande que seja o sofrimento de alguns, por gritante que seja a injustiça de muitos. O serviço da Pátria faz-se com serenidade, e sem nenhum ressentimento. As dores são de cada um, o interesse geral precisa do esforço de todos, e este não fica sujeito à autorização de ninguém. Reconstruir e construir são as tarefas inadiáveis, e a gravíssima situação para a qual caminhamos em aceleração crescente, deveria, sem delongas, fazer substituir os ufanismos pela humildade, os personalismos pela devoção, a luta filosófica pela análise dos interesses nacionais. O infantilismo político que transforma as etiquetas ideológicas no primeiro dos problemas já usou tempo excessivo para se expandir.

Uma sociedade responsável forma as suas opções eleitorais pelo debate nacional de temas, e não transformando o país numa aula de ideologias. São os debates dos problemas concretos das alianças que convém ou não manter, dos espaços económicos que sirvam, dos vizinhos com os quais há que redefinir relações, dos financiamentos que não humilhem, das áreas reservadas à iniciativa privada e das assinadas ao sector público, do ensino, da terra, do mar, do trabalho, do petróleo, da inflação, que levam a procurar um consenso dos que ambicionam ser responsáveis pelo governo, e que devem ser obrigados a propor soluções pragmáticas que o eleitorado entenda e aprove. De todos os problemas, aquele que nos parece mais angustiante é o que resulta desta simples regra da experiência: os países ricos exportam capitais, os países pobres exportam gente. A recessão dos mercados tradicionais do destino da nossa emigração, a impossibilidade de abrir rapidamente mercados novos, o aumento em flecha da demanda de trabalho em consequência da descolonização, a deterioração vertiginosa da economia, tudo encaminha dramaticamente para uma situação em que não podemos sustentar sem esmolas o excesso demográfico, nem este terá opções externas fáceis. Não se conhece situação mais ameaçadora para as liberdades civis, nem sintoma mais alarmante de uma oportunidade para os extremismos. Sempre que o governo dá sinais de entender isto e se aproxima do pragmatismo, não é fundamentado acusá-lo de abandonar compromissos ideológicos. O contrário é que demonstrará definitivamente a sua incapacidade. E, neste caso, os pragmáticos são os que devem aspirar ao governo que lhes pertence.

O texto que se segue não pretende atingir nenhuma pessoa, porque não há nenhuma que consiga ser lembrada quando se medita apenas nos interesses nacionais. Por outro lado, a insistência na distinção entre o Movimento das Forças Armadas (MFA) e as próprias Forças Armadas, tem na base a convicção de que o MFA foi um acontecimento político de indiscutível importância histórica mas apenas conjuntural, e que as Forças Armadas são, pelo contrário, uma instituição inseparável das raízes e do destino de Portugal.

> O SENTIDO DA HISTÓRIA

NA HISTÓRIA DE TODOS OS POVOS acontece que, em momentos críticos da sua longa caminhada, parece chegado o *memento mori* do colapso total. A análise afinou o exame das variáveis que parecem conduzir a essa morte, mas fê-lo sobretudo para avaliar a desagregação das civilizações em que os países se inscrevem, ou para antecipar o conhecimento do destino dos sistemas económicos. Até ao século XVII, era em relação com Deus e com a eternidade que o esforço de entender o homem e o seu destino se organizava. Depois, e sucessivamente, a ideia da natureza no século XVIII, e a história a partir do século XIX, tomaram o lugar desse ponto de referência em que os analistas se apoiam. Todos receberam de Hegel o sentido da historicidade do género humano, aceitando que o tempo de evolução do homem não tem relação com o tempo da vida inorgânica.

Acreditamos que como explicaria Wilhelm Dilthey — *«neste reino da história, os actos da vontade — ao contrário das mudanças que se dão na natureza segundo uma ordem mecânica e que, desde o princípio, carregam todas as consequências que se seguirão - os actos da vontade, graças a um dispêndio de energia e a sacrifícios cuja importância fica sempre presente no indivíduo como um facto da experiência, acabam por dar origem a coisas novas, e a sua acção arrasta uma evolução tanto da pessoa como da humanidade»*.

Aconteceu que ao optimismo do progresso que dominou o pensamento no século XIX, e do qual é herdeiro aquilo que Aron chamou o *optimismo catastrófico do marxismo,* veio fazer concorrência, no século XX, toda uma linha de filosofias da decadência e da morte das civilizações. Estas análises desencontradas não podem demonstrar que a vontade do homem não é o motor da resposta aos desafios da conjuntura, e a moderna teoria revolucionária fez desse ponto o eixo de sua acção. Foi essa a lição de Mao Tsé-Tung e também a demonstração feita sobre o terreno por dezenas de chefes guerrilheiros determinados que venceram os poderes coloniais mais sólidos.

A morte dos Estados, das civilizações e dos sistemas, pode sobrevir, mas não com dia certo, determinado pelo computador. Acontece quando o desafio leva à renúncia e, tal como se passa com os homens, a morte é uma desistência e uma aceitação. Neste processo geral, a sorte dos países decorre dentro dos mesmos termos de referência, e também lhes podem acontecer que renunciem.

Portugal esteve mais de uma vez confrontado com a necessidade dessa opção existencial, mas retomou a marcha, mudando os objectivos, adoptando novas metas, e mantendo-se no sentido da sua história, como diria Jaspers. Como ele notou, com muitos outros, *«a novidade, hoje, é que a história, na nossa época, se tornou pela primeira vez universal. Comparada à unidade actual do globo terrestre, tal como a produzem os nossos meios de comunicação, a história que se desenvolveu até aqui não é mais do que uma colecção de crónicas locais».* A crise de 1580 encontrou homem tão douto como D. Jerónimo Osório para concluir que *«humanamente falando não vejo ao presente melhor remédio aos trabalhos e perigos deste Reino que ser unido a Castela pelas razões que disse.»* Mas a resistência teve o seu livro que foram *Os Lusíadas,* sucessivamente editado; e doutrinadores, como Duarte Nunes de Leão, Severim de Faria, António de Sousa de Macedo. Na crise de 1820 durante a qual o problema do Ultramar foi dominado pela leviandade de Manuel Fernandes Thomaz, não faltou quem, para sair da situação criada pela separação do Brasil, visse aproximar-se a necessidade da união à Espanha. Mas a reacção veio, e o sentido de história reencontrou-se com a geração de África.

Durante este longo período de cinco séculos, aconteceu que as áreas de acção portuguesa constituíam cenários estratégicos e políticos sem comunicação recíproca. A unidade assentava no governo comum, mas as várias regiões do globo evoluíam sem interdependência. O esforço podia ser concentrado em cada ponto crítico, sem grandes cuidados com o resto, porque crise geral aguda não costumava acontecer. O princípio estratégico era o da resposta selectiva para cada ameaça. Tudo para a Ásia, tudo para o Brasil, tudo para a África.

A unidade do globo veio alterar completamente os termos de referência fornecidos pela experiência passada. A terra inteira é uma só zona estratégico-política, e por isso o desafio do século XX foi geral. Durante doze anos, a linha de acção militar portuguesa foi talvez a mais extensa do mundo. A ordem de batalha já não podia ser apenas de prioridades, tinha que admitir escolhas. Nesses anos iniciais, a primeira regra política adoptada foi a de que as forças militares deviam dar aos governantes um tempo de espera para encontrar soluções políticas: depois, nos últimos anos, que o país viveu com a morte na alma, foi repetido que os governantes se declaravam tolhidos porque as forças militares não eram capazes de lhes dar oportunidade ou tempo. Aqui apareceu a inevitável e prevista ruptura, num regime que fora instaurado pelas forças armadas.

Os políticos não gostam de aceitar culpas; os exércitos não admitem, em nenhuma parte do mundo, sofrer derrotas. E finalmente são as legiões militares que, nestes regimes, decidem, porque são elas que dão ou retiram o apoio. A parte menos valiosa do ultramar português, que era a Guiné, foi certamente a causa mais eficiente do aparecimento desse espírito de corpo, no mais alto escalão, em busca de um substitutivo para a rendição iminente. A experiência de Goa vinha à lembrança dos generais envolvidos, e o espírito sindicalista acenava aos mais jovens. A decisão foi do MFA, porém o assentimento não foi só dele.

Não há decisão política ou militar que não tenha que prever, e, mesmo sem isso, que não deva arcar com as consequências das consequências. O desastre em que se traduziu a desordenada retirada geral, entre abraços e enganos, está de novo levando ao desespero, e a muitos parece que já chegou o *memento mori* da Pátria. E isto não é aceitável, nem é estado de espírito que deva alastrar.

Antes de mais porque a área lusíada do Mundo não se afundou com a estrutura do Estado, e com a total paralisia das instituições, incluindo a Instituição Militar, de cujo controlo o MFA se apoderou. O que desapareceu foi uma estrutura política dessa área, de qualquer modo votada à mudança, e que realmente se poderia e deveria ter processado com um custo social muito menos elevado. O preço foi alto. Mas a reorganização política de todos e cada um dos territórios é sobre esse corpo martirizado que se fará, e não sobre outro. E quando as águas voltarem ao seu leito, e as areias repousarem nos fundos, há que enterrar os mortos com veneração, e cuidar dos vivos com esperança. Estaremos em face da mesma área, agora com total descentralização política, mas num mundo onde a interdependência política é a regra inelutável, a soberania um facto sem coincidência com o que assim foi chamado até ao começo deste século.

Dentro deste espaço, algum dos governos despertará para a iniciativa do reencontro, e não será necessariamente o que estiver governando aquilo que nos resta de território na Europa. Todos e cada um serão legítimos para o convite ao diálogo, e então os sofrimentos actuais ganharão um significado no sentido da História. Entretanto, é necessário reconstruir a matriz europeia destruída, e não há sequer inconveniente em que o façam também os que para sempre ficarão vinculados ao cataclismo que desencadearam, amarrados às motivações e às consequências das consequências em que participaram. Para entender isto, convém lembrar que a Igreja festeja os Santos no aniversário da sua morte e não no aniversário do seu nascimento. Todo o tempo é tempo. O balanço é no fim. Para já, é necessário tentar entender as interrogações de que a conjuntura está grávida, e conseguir ouvir e perceber as respostas que os responsáveis vão propondo.

> O PRIMADO DOS VALORES

UM DOS MAIS SIGNIFICATIVOS indicadores da crise do Euromundo em que nos inscrevemos, e que é mais conhecida por um divulgado lamento chamado decadência do Ocidente, é que as instituições tradicionais há muitos anos que não contam com vocações suficientes. Nem padres, nem religiosos, nem diplomatas, nem funcionários, nem professores, nem soldados. As escolas profissionais, os seminários, as academias militares, são desertos crescentes. Escasseiam os voluntários para servir as estruturas que asseguraram o funcionamento e a evolução do sistema ocidental durante séculos, e não há teoria da tendência decrescente da taxa de lucro que seja uma explicação satisfatória. Não é audacioso, mas aceitamos que também não é suficiente, admitir a hipótese de que, em todos esses domínios, veio a prevalecer o espírito sindicalista sobre as primitivas vocações e vontades de servir. E se esse é o facto, é daí que temos de partir.

Nos exércitos ocidentais, por exemplo, parece vingar o entendimento de que a carreira das armas é um modo de vida, não é um modo de morte, e não é segredo que a NATO prevê uma deserção maciça dos efectivos em caso de emergência. O recurso aos oficiais das milícias não tem importância suficiente para esconder o facto de que os ainda proclamados valores ocidentais andam cada vez mais à guarda dos mercenários, essa modesta réplica contemporânea dos bárbaros que foram pagos para substituir os cidadãos romanos nas fileiras. Tempo de soldados perdidos, desabafou um dia o descolonizador De Gaulle, homem do ofício, que todavia parece ter sido propositadamente obscuro no conceito. Também é certo que se deu à bizarria de mandar em todos os exércitos de França, sem nunca consentir em ser promovido, usando até à morte apenas as duas modestas estrelas com que provisoriamente fora adornado antes de partir para Londres e lançar o seu Apelo. É provável que isto não faça dele uma autoridade citável nas actuais circunstâncias portuguesas, onde as carreiras baseadas nos serviços prestados na paz são muito mais rápidas do que o foram enquanto assentes no serviço de guerra. Mas fica a suspeita de que os escritores sindicalistas estão melhor situados para nos guiarem na tentativa de entender o processo, que parece comum a todas as carreiras tradicionais, do que os escritores clássicos da revolução, que andam mais citados por rotina do que por meditado cabimento.

O que se passa com a Igreja, depois do Concílio Vaticano II, não faz senão dar consistência à hipótese. Temos naturalmente de separar o problema da actualização da doutrina católica para os novos tempos, que era o que inquietava o bom e amado Papa João, daquilo que diz respeito ao estatuto jurídico dos sacerdotes. Receamos, pelo que toca a este último ponto, não poder tornar-se inteiramente clara a questão sem falar, preferentemente, de estatuto profissional no que concerne aos padres. Acontece que os rios de tinta correm mais por causa deste último problema, do que por motivo da actualização doutrinal. Todos somos solicitados para entender que o celibato é pesado, que a côngrua é escassa, que a disciplina é dura, que a autoridade dos ordinários é feudal, o que tudo é digno da nossa benevolência e cooperação, mas parece ter escassa relação com o que os fiéis esperam da Igreja, e toda com aquilo que os ordenados esperam dela. É uma questão doméstica. Daqui resulta, pelo que se vai sabendo, que os Camilo Torres e os Midzenty se contam por alguns dedos de uma só mão, e que não há mãos que cheguem para contar os dispensados de ordens, ou que mais simplesmente se dispensam dessa formalidade. É compreensível que alguns crentes se inclinem a aceitar, com Paulo VI, que anda nisto o Diabo, embora pareça suficiente o sindicalismo.

O que mais perturba é que tudo se passa no campo ocidental que proclamou a superioridade dos valores morais sobre os materiais, que ensinou que o Verbo está no princípio de todas as coisas, mas que realmente não tem outros critérios de medida que não sejam o nível de vida, o produto nacional bruto, a renda *per capita*, o bem-estar material.

Do outro lado, os que foram definidos como materialistas dialécticos, advogados das contradições de classe, sustentadores da preponderância dos factores económicos, esses batem-se pela liberdade da Pátria, morrem para expulsar a opressão estrangeira, proclamam e praticam que a justiça social justifica a doação da vida, sustentam que a geração presente é o estrume da geração do futuro, regam-se de gasolina e ardem para dar testemunho da sua fé. Chegam a ser incómodos de autenticidade. Não há, para a sua gesta, sindicalismo ou teologia marxista que cheguem para a explicar.

O evidente é que, depois do fim da última guerra, os Giap e os Chu-En-lai não encontram modelo que se lhes contraponha no campo adversário, e não lhes faltaram vocações e quadros para organizar a milícia e o Estado. Se aceitarmos, com Tolstoi, que são as acções e não as palavras que rezam, talvez não haja excesso em admitir que, para além das chamadas formulações político-científicas, das pretensiosas definições sociológicas, das proclamações de circunstância, e do menosprezo pelos outros que hoje é de uso, o Estado não mobiliza os cidadãos sem uma teoria de valores, sem um ideal cívico, sem um projecto em que avultam elementos míticos e emocionais.

A nossa época tem visto morrer homens aos milhões desde 1939, numa avalanche de violências sem precedentes: por serem russos, por serem húngaros, por serem checoslovacos, por serem irlandeses, por serem pretos, por serem brancos, por serem ibos, por serem judeus, por serem árabes. Não consta que habitualmente morram por serem proletários ou por serem capitalistas. A razia não deixa muito espaço para a morte dialéctica. Os alegados vinte milhões de russos que morreram em combate contra o invasor alemão fizeram-no proclamadamente para defender a integridade da Santa Mãe Rússia e não para sustentar as teses e corolários do estalinismo. Daqui resulta a que parece justificada questão, a qual é a de saber se o sindicalismo pode ser um princípio que dispensa a prioridade do amor à Pátria, se a reivindicação salarial pode dispensar o sentido de servir, se as rivalidades de casta podem sobrepor-se à solidariedade nacional, se a filosofia do bem-estar pode ser paga com a resignação à dependência externa, que ameaça transformar o país no esgoto do capitalismo nórdico e no campo de exercícios da rica esquerda festiva europeia.

A resposta e o exemplo dos povos pobres estão sendo que é firmando-se nos valores intemporais que conseguem avançar no domínio do desenvolvimento, enquanto que os povos ricos se afundam na abundância sem motivos para combater. O pântano do Vietname, e o confrangedor espectáculo que os EUA estão proporcionando ao mundo, são demonstrativos de que, sem prioridade de um projecto nacional vivido, não há liderança, nem grandeza, nem desenvolvimento, nem paz social. Os EUA cresceram enquanto acreditaram no *sonho americano*. Os vietnamitas conheciam talvez pouco do conceito de sociedade afluente ou da teoria do desenvolvimento capitalista, não possuíam a tecnologia, não tiveram a oportunidade de gastar o tempo a profissionalizar a denúncia dos outros, mas sabiam qual era a sua terra e onde estavam as fronteiras, acreditavam no direito de recuperar a independência, odiavam o mando estranho, e suportaram a quase total destruição do país porque amavam tais valores acima e antes de poderem prestar atenção ao produto nacional bruto e à taxa de lucro que os seus vencidos adversários reverenciam.

A lição provocou um efeito tão complexante para os EUA, que este país está desde então dedicado à primeira conhecida experiência de psicanálise nacional, confessando ao mundo que pecou por intenções, palavras e obras, mas demonstrando, com frequência, que o arrependimento não mata o gosto do proveito. Repare-se no desenrolar do caso Lockheed, que vai derrubando governos ao redor da terra. O anunciado processo de purificação da vida americana, de que tal incidente faz parte, ainda não lembrou aos seus novos aprendizes de Catão a necessidade de restituir, aos povos lesados e às empresas preteridas, os lucros que os EUA ilegitimamente obtiveram com os procedimentos que agora publicam.

A crença no destino manifesto, na nova fronteira, na sociedade inacabada, não desempenha já a função de impulsionar o desenvolvimento. E assim vemos os EUA arriscados a caminhar para o modesto lugar secundário que a mediocridade das chefias lhe prepara, levados em grande parte pela mão de Kissinger, que levou a cólera de alguns à agressão de dizer que muitas vezes menos parece um judeu naturalizado, do que um alemão vencido a vingar-se dos EUA. Todo o mundo livre precisa de que os EUA voltem à inspiração dos seus fundadores, e retomem a segurança que decorre da fé nos princípios.

De tudo resulta que não servem para muito os pressupostos científicos da análise socioeconómica, traduzidos e usados para compor a imagem desejada pelos governos. Estes só governam se um projecto mobilizador desencadear o processo do crescimento, e tal projecto não existe sem uma constelação de valores emocionais e míticos, que sirvam de amparo constante aos objectivos racionais, mas transitórios, da planificação. Por isso, sem o dizer, todos os povos em revolta praticam a regra da prioridade do Verbo; ao invés, proclamando o primado dos valores do espírito, é certo que as lideranças ocidentais em recuo não conseguem ir mais além do que foi Pilatos, um céptico oficial colonial, cuidadoso da sua carreira, inquieto com a promoção, atento ao salário, de mãos lavadas, o que é diferente de ter as mãos limpas.

> O PODER E A IMAGEM

Esta repetida cena bíblica levanta o problema de saber o que é a ruptura proclamada por todas as revoluções. A ruptura com um regime político anterior tem logo sentido, ao menos formal, e não merece grandes meditações. Mas a proclamação tem habitualmente alcance mais profundo, e no caso português parece começar por dizer respeito ao que tradicionalmente se chamou a *missão nacional*.

É conveniente lembrar que esta reivindicada finalidade para a Nação não foi uma invenção portuguesa, é sim natural no ideário de todos os povos com identidade e que reclamam algum préstimo internacional. A URSS é a que hoje tem uma filosofia mais clara a tal respeito. Trata-se de ponto de grande importância, porque o papel das Forças Armadas, que têm o dever de recuperar a institucionalização perdida, é necessariamente definido em função disso, seja qual for a conclusão.

Ora, a tentativa de lavar as mãos do passado histórico, gesto que pode ter utilidade partidária imediata, mas não vai mais longe, não foi de facto uma atitude nova do Movimento de 25 de Abril, nem da classe política que depois chamou à colaboração. A autenticidade é que pode ser outra. Mas quando se procedeu à chamada Revisão Constitucional de 1971, aconteceu que o Governo desistiu discretamente da missão nacional e não apreciou que se desse por isso. Respondeu aos comentários multando aqui, punindo ali, castigando além. As disposições constitucionais que se referiam a tal missão nacional desapareceram sem explicação nem discussão, e sem que se anunciasse uma nova motivação. Deste modo, o último governo da Constituição de 1933, depois de gastar o crédito com poucos precedentes que obtivera do eleitorado, declarava esgotadas as várias contraditórias motivações que foi enunciando para continuar a resistência em África. As tropas, em face disto, ficaram sob o comando de um governo que as mandava combater sem saber para quê. A ruptura estava realmente consumada. A redefinição para os novos tempos é que não foi feita. Todas as reservas adiantadas contra tal procedimento eram classificadas como provenientes de adversários que atrapalhavam a modernização do Estado e os planos do governo. O que nunca ninguém conseguiu saber foi o teor dos planos contrariados, que se diz agora que estavam em reserva mental.

Esta atitude consagrou um dos mais dramáticos simplismos que atingiram os interesses nacionais antes de 25 de Abril: a defesa da salvaguarda dos interesses nacionais e das populações ultramarinas, que depois se viu quanto necessitavam disso, passou a ser considerada obscurantismo reaccionário; tudo o resto, desde a ambiguidade governativa ao sovietismo, como progressista. Deste modo, o racismo larvado, o socialismo do conforto, a esquerda festiva, o liberalismo capitalista, a neutralidade tecnocrática, o egoísmo dos grupos de interesses, tudo podia afixar um ar de modernidade. A humildade e a conveniência nacional recomendavam já então que se cuidasse apenas dos interesses reais dos povos, com patriotismo lúcido e pragmático.

Isto nos leva directamente à meditação do ideário do MFA ao tomar o controlo das Forças Armadas. Insistimos em que tal MFA não é o mesmo que Forças Armadas, como de resto está sendo demonstrado pela evolução recente, que vai remetendo para a demissão, para a cadeia, ou para o esquecimento, alguns dos seus componentes mais notórios.

Um dos responsáveis pelo Movimento, e que veio a ocupar lugar cimeiro no governo, declarou há tempos que se tratou de um golpe de Estado e não de uma revolução. Esta declaração pelo menos prova que esta era a intenção de alguns e que, portanto, esses não tinham definição revolucionária a apresentar. Acontece porém que, para ir além disso e fazer uma revolução, são necessários doutrinadores, sempre aparecidos nos anos difíceis da luta contra o sistema estabelecido e que combatem. Neste aspecto, a produção portuguesa é inexistente.

Pondo à parte o Partido Comunista, que está lógica e solidamente apoiado numa doutrinação que é de validade internacional, no espaço português apenas se diferenciou um homem, com vigor e personalidade, que foi Amílcar Cabral. Separou perfeitamente o marxismo, como metodologia e teoria, do leninismo, que é uma doutrina para a acção e para a implantação do sovietismo. Foi o único que procurou regionalizar o marxismo, construindo um pensamento a partir da realidade africana.

Por outro lado, supomos que a futura história das ideias virá a reconhecer em Pereira de Moura, no domínio da doutrinação falada, aquele que mais persistentemente foi inculcando, a sucessivas gerações de estudantes, um novo modelo português, alheado das responsabilidades ultramarinas, e construído a partir de um diagnóstico do rectângulo europeu. A sua influência no esquerdismo da geração de 70, usando a autoridade que lhe dava a dedicação ao ensino, e motivando os diplomados que viriam a ser milicianos das Forças Armadas, não tem paralelos fáceis.

No romance, na poesia, nas artes plásticas, na doutrinação política, não se manifestaram as alternativas fecundas. Aquilo que entretanto se está publicando, ainda não revelou que estivessem presas nas gavetas obras de maior porte. Atribuir tal penúria ao regime de censura e de exame prévio que vigorava antes, é uma explicação de mérito muito discutível, porque é justamente essa repressão que torna necessária a interpretação revolucionária. Foi antes da revolução soviética de 1917 que apareceram os seus arautos, escritores e poetas, que encheram o mundo de mensagens; foi na Itália fascista que se engrandeceu Gramsci; é na Rússia despótica que estão aparecendo escritores liberalizantes que assustam o regime e advertem o mundo; é na América torturada que aparecem Garcia Marquez e os trovadores das queixas.

Acresce também que os membros do MFA que subsistiram não apresentam os sacrificados exemplares que costumam mobilizar as energias colectivas pelo exemplo. Não consta que tenham perdido património, diminuído os proventos, atrasado as carreiras. Pelo contrário, os que não foram excluídos pelas emergentes rivalidades ou incompatibilidades de fundo, todos melhoraram visivelmente de condição profissional e material.

O mesmo responsável que qualificou a intervenção do MFA como golpe de Estado declarou recentemente, em vista do descalabro do país, que a democracia não pode construir-se sem sangue, suores e lágrimas. A declaração tem cabimento, mas receamos que não possa deixar de notar-se, no caso presente, que esses respeitáveis líquidos estão a ser derramados pelos outros e não pelos que participaram no desencadear do processo, sem terem uma doutrina, um plano, uma estratégia, um programa. Daqui resultou, talvez, a hegemonia que imediatamente assumiu o Partido Comunista: tem doutrina, tem programa, tem sacrifícios. Só que está errado do ponto de vista genuinamente português. Mas forneceu o que tinha aos membros do MFA que o seguiram ou escutaram, e que não tinham nada do que é necessário para assumir o governo do Estado. A dolorosa recomposição das Forças Armadas, que se processa, tem nesse facto um dos fardos mais pesados que essa facção do MFA lhe deixou. A primeira dificuldade a enfrentar é a de definir a função das próprias Forças Armadas, questão com a qual a generalidade se inquieta.

Talvez o exame deste ponto deva começar com a tentativa de compreender o regime contratual que o MFA estabeleceu com uma classe política formalmente identificada. Esse contrato é uma espécie de *norma das normas,* para usar a expressão de Kelsen, e sem ele nem a Constituição se entende. Não se trata do documento que foi chamado *Programa do MFA,* porque a esse não lhe coube outra função histórica que não fosse definir uma plataforma entre as várias tendências dos oficiais envolvidos, todos de acordo em derrubar o governo, na base de um comum capital de queixas, mas sem um consenso sobre as responsabilidades e metas posteriores. Chega a consternar a insistência com que alguns parecem querer diferenciar-se reclamando terem introduzido emendas nesse documento, e o descaso com que outros admitem desconhecer a fonte literal de algumas passagens fundamentais, copiadas de documentos do Partido Comunista, designadamente os que dizem respeito ao desastre que depois pretenderam chamar descolonização exemplar. Sem que nenhum admita a responsabilidade de saber que o único objectivo de relevo mundial e imediato era a abertura da rota do Índico e do Atlântico às frotas soviéticas, e que colaboraram neste plano, estranho aos nossos interesses, à margem de qualquer intervenção da comunidade internacional afectada, e sem qualquer consideração pelas conveniências de Portugal como Nação, ou das populações locais, de todas as etnias, abandonadas à mais cruel das perseguições, quando não a sangrento massacre. Basta reparar na convergência internacional de esforços para resolver coisa comparativamente de tão pouca monta como é o destino da Namíbia, para compreender a imprescritível condenação do que foi praticado.

Nem os procedimentos anunciados no *Programa do MFA,* para conduzir a descolonização em âmbito puramente nacional, foram observados. Tudo se consumou à força de golpes sucessivos, que completamente desorientaram, desautorizaram, e remeteram para a expulsão ou para o desespero, os que pensaram estar apenas a colaborar num golpe de Estado.

Quando tudo ficou reduzido ao rectângulo europeu, que foi a plataforma da nossa grandeza e tem de ser a base da nossa recuperação, viu-se claramente que o *povo soberano* tinha sido autoritariamente despojado de todos os elementos de um património secular que lhe teria permitido negociar, em posição respeitável, uma nova função internacional. Porque é de um Estado que se trata, não é de uma sociedade beneficente ocupada em dar sem olhar a quem. Nem pode compreender-se um Estado como um campo experimental para ideólogos. E também qualquer Estado responsável dispensa louvores por uma conduta desinteressada em favor de princípios que gratuitamente beneficiam os outros, porque esses outros não dão uma só mostra de seguir o exemplo, no que fazem bem, e escarnecem ao agradecer polidamente a dádiva com a moeda fácil de um aplauso.

Não há um só representante dos governos ou dos partidos estrangeiros que se apressaram a festejar o esbanjamento português, que se atreva a exibir em casa a responsabilidade pela renúncia a um só e qualquer seu interesse nacional injusto, sem negociação e contrapartida.

Os Estados não se governam em função das ideologias que servem os outros, mas sim em função do que se chama uma *moral de responsabilidade,* que é a que coloca à frente os interesses dos nossos. Mal avisados andaram os convidados colaboradores civis que, correndo para não faltar à 25.ª Hora do Movimento, se pasmavam com o súbito e explosivo prestígio de Portugal no mundo, e não se privaram de competir, para acrescentar as suas biografias, por algumas flores que iam chegando de longe. Eram interesses estaduais que estavam em festa nesses lugares, só que não eram os interesses do povo português.

A este, o que foi oferecido, e seria muito, foi a possibilidade de exercer o direito de se organizar livremente. Mas com a oferta, e a sua autenticidade, já não tem que ver o documento chamado *Programa do MFA,* porque a plataforma que tal documento exprimia, para tornar possível o golpe de Estado, esgotou-se com este, e desmoronou-se com a explosão das tendências das várias facções militares envolvidas.

Continuou a existir um *Movimento das Forças Armadas,* com lutas intestinas sem grandeza, mas indiscutivelmente também sem *Programa do MFA.*

Toda a referência a este documento, depois da execução do plano soviético para o ultramar português, é puramente semântica. A própria designação do segundo Presidente da República o violou. A sua função histórica estava esgotada. Do que se tratou, a seguir, foi da luta pelo poder no rectângulo europeu. Com as indispensáveis invocações de grandes princípios mas sem outro objectivo que não fosse o mando. Usando retalhos do rasgado *Programa,* mas fora do contexto.

Tornou-se hábito dos analistas, para demonstrarem a importância das sociedades multinacionais, incluírem tais sociedades e os Estados na mesma série, mostrando assim que muitas delas excedem, em lucros, o produto nacional bruto de vários países respeitáveis. Para compreender a dimensão a que ficamos reduzidos, depois do esbanjamento a que se procedeu depois do 25 de Abril, seria necessário incluir Portugal numa série onde o termo de comparação fossem algumas cidades e municípios europeus, como Paris, Londres ou Berlim. Isto ajudará a medir a desproporção das ambições, a enormidade dos custos que elas provocaram, o despropósito dos ufanismos, a retórica da projecção internacional, o paroquialismo do processo. Mas o poder foi o alvo, e todo o alto preço que a sociedade portuguesa teve de pagar, no rectângulo europeu, e para além da tragédia da descolonização chamada exemplar, teve essa causa. Tratou-se, como sempre, de definir o novo *Príncipe,* Não há movimento político que não acabe nisso. Na imaginária de Gramsci, esta é uma das excelentes contribuições. E por isso Maquiavel é ainda hoje, com Clausewitz, um dos autores mais indicados para instrução de militares e cautela de civis. Ambos sabiam o que é o poder. Parece mais útil à preparação castrense a sua leitura meditada, do que a leitura apressada das citações dos revolucionários clássicos que foram seus atentos discípulos.

A má reputação criada a Maquiavel em alguns sectores foi talvez obra de interessados em que os contribuintes o não leiam. Ele não fez um tratado de moral, nem doutrinou o que se deve fazer. Descreveu simplesmente o poder, isto é, o *Príncipe* e os seus procedimentos. Para usar a expressão de Gama e Castro, depois que o chamado *ancien regime* foi derrubado, o *Novo Príncipe* vestiu-se com roupagens variadas: burguesia, personalidade carismática, partido, tecnocracia, exército. Mas é sempre do poder que se trata, e os cépticos analistas de ciência política vão concordando em que o povo soberano vota mas não manda. O máximo de liberdade que até hoje conseguiu foi ter intervenção na escolha de quem manda, usando listas que não escolhe. Mas, inevitavelmente, uma classe política toma a direcção e mantém-se nela tão longamente quanto pode.

Cada conjuntura traz o seu *Novíssimo Príncipe*. Os chefes políticos do século XX, em todos os regimes, desde as democracias estabilizadas aos totalitarismos soviéticos, fazem tudo para morrer no comando. Parecem às vezes já mortos, e ninguém se atreve. Todos eles se queixam, naturalmente, das agruras do governo. Mas todos mostram saber das angústias de ser governado, e preferem sofrer mandando.

Convém portanto averiguar como se formou a nova classe política, e, enfim, saber quem é o *Novíssimo Príncipe*. A primeira observação que a análise sugere, é que os militares que assumiram o controlo das forças Armadas, com a designação ostensiva de Movimento das Forças Armadas (MFA), não tiveram nunca a intenção de entregar o poder a terceiras formações, antes sempre entenderam dever guardar para si próprios a posição proeminente. O contrário é que seria novidade, porque não é da natureza das coisas que o poder seja tirado a uns para dar a outros, como nas histórias do bom ladrão. Verifica-se até a circunstância de que o poder político é a única forma de energia desamparada, e que pertence sempre a quem a consegue capturar. Não há processos legais de restituição por ocupação indevida, pelo que a *teoria da captura* é a única que corresponde exactamente aos desagradáveis factos do fenómeno político.

A captura do poder pelo MFA teve uma natureza completamente diferente de uma intervenção arbitral, porque as intervenções desta última natureza não se destinam a capturar o poder, destinam-se a evitar que o poder mude de sede e de captores. Este ponto merece alguma atenção, porque os equívocos a tal respeito levam necessariamente a uma errada interpretação do esquema político montado, a função arbitral foi o conteúdo do poder moderador dos monarcas constitucionais, a justificativa da preservação da coroa pelos regimes liberais, a matriz da vinculação das Forças Armadas a defesa da constituição. Sempre que a tendência democrática radicalizou o liberalismo para a república, as Forças Armadas puderam receber essa função sem o monarca, e assumiram em alguns lugares, como instituição, esse cargo.

É evidente que conceder essa função arbitral às tropas não é possível sem o risco calculado de as ver tomar, a despropósito, iniciativas ditas regeneradoras dos desmandos políticos, à margem de qualquer desvio dos órgãos do governo, cujos destemperos justamente deveriam corrigir. A tentação de ir mais além, e ficar, é da natureza do fenómeno político, mas há exemplos raros de estrita intervenção para cumprir a função arbitral.

Por outro lado, a céptica experiência dos profissionais da política, leva-os, quando republicanos, a colocar com frequência um militar na chefia do Estado, para diminuir as eventualidades do processo corrector, e as tentações dos corregedores armados. O que não aparece abonado pela experiência, nem provável, é que a função arbitral seja exercida pela

Instituição Militar sem estrita observância da disciplina interna, rompendo a aparente legalidade só para impor o respeito da Constituição, e portanto em obediência a imperativos superiores. Mas a teoria e prática do golpe de Estado e da revolução, nos seus graus respectivos, não têm nada que ver com tal arbitragem, nem com o respeito da disciplina interna. É a substância do poder que está em jogo, é a caça ao mando que fica aberta. A captura é a vitória.

Foi desde logo evidente que da precaução revolucionária fazia parte a definição de uma *imagem democrática,* que lhe permitisse filiar-se na teoria da legitimidade ocidental, estando já assegurada a convivência com a legitimidade das repúblicas populares. Quando falamos de imagem democrática é muito propositadamente para salientar que, segundo o depoimento dos analistas, a preocupação com a imagem é mais comum do que a preocupação com a essência das coisas, e antecede esta na ordem das prioridades revolucionárias. Há mais de um exemplo, no mundo, de Estados autoritários, com a sede do poder solidamente estabelecida no *Novíssimo Príncipe* que é a Instituição Militar ou o Partido Único, e que contrataram com uma classe política a imagem do parlamentarismo. A Imagem ajuda à eficácia do poder, e por isso não se trata de uma prática despicienda. Mas anda longe da autenticidade. Por isso, já nenhum analista se contenta com a divisão liberal dos poderes para falar de pluralismo, todos sabem que o pluralismo real é o da pluralidade dos poderes originários que radicam nas instituições, e permitem a estas, em nome do trabalho, em nome da empresa, em nome dos consumidores, em nome das crenças, em nome das correntes de opinião, em nome da criatividade e da comunicação social, fazer intervir a necessidade do seu consentimento contratual para as decisões que afectam os interesses gerais e fundamentais. Sempre que um dos poderes sociais captura a supremacia ou a totalidade da intervenção do Estado, a imagem pode existir, mas, por dentro das coisas, o pluralismo não existe. O debate europeu ocidental anda neste campo, por enquanto, muito à volta de hipóteses e temeroso, mas os exemplos observáveis não faltam no continente americano e abundam na África.

Ora, um dos primeiros actos do Movimento foi contratar uma classe política colaborante, que assegurasse a definição da imagem democrática, elaborando previamente uma *Lei do Indigenato,* que merece ser famosa não pela esmerada técnica jurídica que não tem, nem pela novidade da prática que é velha, mas porque conseguiu substituir a lista nominal dos chamados e dos excluídos dos direitos políticos, a qual facilmente se adivinha no seu contexto e é longa.

Tal classe política foi contratada em termos de incitar os estudiosos a encontrar o denominador comum que orientou a relação. Não é difícil verificar que, não obstante todos os excessos que caracterizaram a luta interna do MFA, e que durante um grave período, cujas cinzas não apagaram o fogo, revelaram a proeminência do Partido Comunista no processo de decisão, a classe política contratada manteve-se a mesma até hoje. Antes e depois das eleições. Nesta classe política encontram-se desde os militantes das correntes socializantes extremas, até alguns antigos membros do governo expulso. Mas, sobretudo, nota-se a presença de responsáveis pela política de todos os antigos grandes grupos financeiros e dos órgãos económico-financeiros do Estado, desmantelados juntamente pela condenação revolucionária das decisões que tomaram e da política que seguiam. Não eram empregados ou trabalhadores legitimamente instaláveis no outro lado da trincheira; eram, sim, o que já havia de tecnoestrutura no capitalismo português, a decidir, a mandar, a receber. Pode discutir-se até se os antigos grupos financeiros estão representados, nessa classe política, em justa proporção com a sua importância passada. Mas estão todos.

Aquilo que aparece como denominador comum de tão variada gente é apenas a concordância com o abandono do Ultramar, sob o nome de descolonização, sem querer saber, ou sem prever, as consequências das consequências. Para entender a relação nominal dos chamados ao contrato político pelo MFA, convém recordar que a descolonização, ao contrário do que pretende uma lenda persistente, não é apenas um programa revolucionário. Também é um programa capitalista, habitualmente da reacção mais extrema, sempre que a empresa colonial dá mostras de colocar em perigo a rentabilidade do investimento, ou a estabilidade metropolitana do sistema político por eles capturado. Os tecnocratas, que amam o poder e o dinheiro sem a responsabilidade, facilmente dissertam, com amável frieza universitária, sobre este ponto. A teoria do golpe de Estado cobre perfeitamente esse tipo de adesões contratuais, porque o golpe de Estado é a mais tecnocrata das intervenções revolucionárias. O Ultramar foi, tanto quanto se pode saber, o preço do acordo e da sua legitimação política.

> A CONSTITUIÇÃO SEMÂNTICA

O CONTRATO POLÍTICO para a definição da imagem democrática ocidental poderia ter incluído, entre as cláusulas essenciais, que o *Povo,* definido como sempre pelos vencedores, seria em todo o caso o *Novíssimo Príncipe.* Temos por certo que isso não aconteceu e facilmente se demonstra. Também acontece ser um dos pontos em que a ruptura com o expulso regime não é tão grande como se diz.

A Constituição de 1933 era um documento mais preocupado com a imagem do que com a realidade do sistema político. Por isso muitas vezes concluí, com outros, em cursos e trabalhos, pela sua falta de autenticidade. O ponto mais conhecido é que, consagrando um regime também instaurado militarmente, e definindo como figura principal o Chefe de Estado, ninguém duvidava de que *o poder* estava no Presidente do Conselho, que decidia o provimento da Presidência da República, e dialogava directamente, até a conspiração de 1961, com as Forças Armadas. Daí em diante as coisas passaram-se diferentemente, mas o poder nunca esteve onde a Constituição o dizia. Quanto aos princípios, designadamente no que respeitava ao Ultramar, a distância entre as teses e as hipóteses era constante.

O último governo da Constituição de 1933 fez um esforço inglório para repor, não a definição formal da Constituição, que nesses termos nunca vigorou, mas o regime real que existiu indiscutido até à conspiração de 1961. Para tanto procurou implantar uma chefia carismática, pelo abuso dos meios de comunicação; procedeu à concentração de poderes na chefia do governo, alterando até o processo legislativo, ao mesmo tempo que afirmava a liberalização para fins de imagem externa; as manifestações populares constantes acompanharam a proclamação da modéstia da governação, que se confessava surpreendida com as medalhas comemorativas, as flores, os diplomas, o monumento; o anúncio do fim da censura foi acompanhado da compra dos jornais ou por organismos dependentes do Estado ou por grupos que apoiavam o governo, e pela instauração do exame prévio que ninguém distinguia da censura; a afirmação da estrita legalidade foi compatível com a publicação da lei retroactiva para salvaguardar interesses da banca privada; a desobediência às decisões judiciais do Supremo Tribunal Administrativo não provocou hesitação; a promulgação da lei da protecção da intimidade, acompanhada do exercício intensivo da escuta telefónica que os jornais vão divulgado e da violação da correspondência; a regra da arbitragem estatal dos interesses privados brigava com a imposição dos amigos às administrações das companhias e com a perseguição dos desafectos. Tudo foi prelúdio das cenas finais, inspiradoras de piedade, em que uma Assembleia Nacional atónita se viu solicitada, pela primeira vez na sua longa história, a votar a confiança no governo sem saber como nem porquê; os generais se viram convidados, e concordaram com excepções contadas, a apoiar um programa que não era conhecido; um general, dias antes severamente demitido, foi chamado por um chefe de governo prisioneiro para uma transferência de poderes que constitucionalmente só podiam vir do Chefe de Estado, e realmente quem os queria dar já não os tinha, e quem os ia receber não se sabia em que qualidade.

Tudo isto é o processo político de uma *Constituição Semântica,* isto é, uma colecção de palavras destinadas a compor uma imagem, mas com escassa ligação com a realidade. Durante os anos precedentes, o país andou a correr de norte a sul, atontado e ameninado, em manifestações estereotipadas, sempre declaradas espontâneas e inesperadas e sempre pagas pelos dinheiros públicos; a Europa meditava, segundo as notícias, sobre os pensamentos divulgados pelo Governo. Ao mesmo tempo que, actualizando velho comentário de Eça, a curiosidade que levara Portugal à Índia era substituída pela curiosidade que levava o Governo a espreitar pelo buraco da fechadura de cada cidadão que lhe desagradava, a tragédia ia-se consumando perante a omissão total dos responsáveis. Motivos para revolta eram pois de sobra. A teoria de enganos em que o país caiu não era merecida pelo povo que os pagou. Enquanto as cenas surrealistas do fim do regime se passavam nos vários palcos do Palácio de S. Bento, tornou-se evidente que eram actos que respeitavam apenas a um partido frustrado, em diálogo vazio com uma chefia perdida. A Nação não estava ali. Estava já na rua, como em 1385. Desprovida de contrato social, e à procura de um projecto de vida.

Não é necessária uma observação muito atenta para reconhecer que muitas destas práticas inautênticas se transferiram para o novo regime. A Europa, dizem-nos que continua a aprovar os nossos exemplos e a admirar os nossos pregadores, que agora são mais. O ritmo das manifestações aumentou, só que os surpreendidos também cresceram em diversidade de espantos, os custos acompanharam a progressão, mas é certo que agora sabe-se menos quem é que paga. A curiosidade que leva a espreitar pelo buraco da fechadura floresceu, e chama-se o dever e o gosto da denúncia, e saneamento. A tranquila negação dos factos, no estilo de não haver presos políticos, de não existir a tortura, de a economia estar florescente, de as colheitas serem promissoras, de podermos viver de ser a horta da Europa, de a descolonização ser exemplar, é uma tradição preservada. O cuidado, sem desfalecimento, para que a culpa morra solteira, não abrandou. O vício do semantismo passou para a Constituição vigente. Começa na declaração de princípios contraditórios, continua-se com uma institucionalização do poder que inteiramente nega qualquer dos princípios, termina com uma prática constitucional que não tem nada que ver com os textos.

Vejamos alguns exemplos significativos da confusão constitucional. Começa-se por reparar que uma Constituição consagradora da chamada descolonização exemplar decreta no artigo 11 (2), que «*O Hino Nacional é a Portuguesa*». O Hino canta o que une todos. Ora, é preciso ter esquecido as estrofes de *A Portuguesa* para consagrar íntegro o mais colonialista dos hinos nacionais do mundo. A sua poesia exprime literalmente a sagrada fúria republicana contra a Inglaterra espoliadora do *mapa cor-de-rosa* do sonho imperial africano do século XIX, e manda marchar contra os canhões que dilaceraram aquilo que a República chamou *províncias ultramarinas*. De modo que o Hino Nacional fica constitucionalmente a dar ordens no vazio, porque o seu conteúdo emocional e mítico perdeu sentido, substância e possibilidade. Seria útil que algum jornal publicasse na íntegra a letra do Hino, ainda que com o risco de ser apelidado de reaccionário, para ver se todos conseguimos compreender o dever de cantar aquilo que constitucionalmente é proibido fazer.

Por outro lado, o Preâmbulo da Constituição começa por prestar homenagem ao MFA nestes termos: «*A 25 de Abril de 1974, o Movimento das Forças Armadas, coroando a longa resistência do povo português e interpretando os seus sentimentos profundos, derrubou o regime fascista*». Depois, na lógica da invocação, decreta no artigo 3 (2) que «*o Movimento das Forças Armadas, como garante das conquistas democráticas e do processo revolucionário, participa, em aliança com o povo, no exercício da soberania nos termos da Constituição*», Trata-se portanto de uma entidade política, personalizada juridicamente, independente do Povo, mas colaborante com este no exercício do mais transcendente dos poderes que é a soberania, essência da personalidade internacional das Nações. Tal MFA encontra a definição instrumental do exercício participado da soberania no artigo 10, que diz assim: «*a aliança entre o Movimento das Forças Armadas e os partidos e organizações democráticas assegura o desenvolvimento pacífico do processo revolucionário*». É necessário percorrer depois mais de duas centenas de disposições constitucionais, para ser informado, no artigo 273 (2), de que *«As Forças Armadas Portuguesas são parte do povo e identificadas com o espírito do Programa do Movimento das Forças Armadas, asseguram o prosseguimento da Revolução de 25 de Abril de 1974»*. Tudo aquilo que resta do MFA, depois de tal maratona legislativa, é este espírito brevemente invocado, e vai ser difícil entender como é que coisa tão imaterial exercerá, «em aliança com o povo», Artigo 3 (2), a soberania que a este pertence. O semantismo não poderia encontrar expressão mais gritante.

Os juristas vão ser forçados a desenvolver a capacidade hermenêutica, e arriscamo-nos a consagrar algumas teses explicativas de normas tão importantes. Mas ou isto não passa de literatura dispensável em textos constitucionais ou, na tradição da Constituição de 1933, teremos de concluir que mais uma vez é num lado que está o ramo e noutro que se vende o vinho. Se o MFA é, como parece, mais alguma coisa do que um espírito, seria útil e apropriado fazê-lo encarnar em organização que se veja e que possa ser ou apoiada ou combatida. Ser governado por detrás da cortina constitucional, é o que não convém mais a um Povo coberto de chagas e de mutilações. Tem o direito de exigir uma clarificação definitiva, e ver terminada a prática de um governo que discursa, declara, anuncia, mas vive um processo que não se cruza com aquele que ao mesmo tempo se desenrola exclusivamente entre militares que antes de se dizerem das Forças Armadas se dizem do MFA, que ninguém legitimou, que dissertam, que sentenciam, que se acusam, que se louvam, que se condenam, que se promovem, que se degradam, que se prendem, que se libertam, que se candidatam, que se retiram, que se exibem, que se incensam, que gastam o nosso dinheiro e o nosso tempo, e que, sem pertencerem necessariamente a qualquer órgão constitucional definido, parecem seguros de pertencer a alguma coisa misteriosa e funcional, que talvez realmente seja o MFA.

Sem cuidar da respectiva filiação partidária, todos temos interesse em apoiar os esforços daqueles que, no Governo ou fora dele, andam pacientemente a tentar os exorcismos capazes de acabar com semelhantes práticas de um espírito que a Constituição teve o descuido de invocar sem corpo visível. Porque o único corpo conhecido, dentro do qual se passa essa luta que a Nação injustamente paga, são as Forças Armadas, que em termos institucionais são, e não o MFA, o *Novíssimo Príncipe* da Constituição da República Portuguesa, qualidade que traz consigo as supremas responsabilidades da governação.

> AMBIGUIDADE DO ESTATUTO DAS FORÇAS ARMADAS

NÃO É NECESSÁRIO AVIVAR a memória de ninguém para recordar como o MFA sempre manifestou uma grande predilecção pelo segredo, preferindo mandar sem dar publicidade à sua estrutura e sem personalizar as hierarquias interiores. A Junta de Salvação Nacional foi sempre e apenas um *nuntius,* sem possuir ao menos os poderes limitados dos mandatários. E foi ela que anunciou o contrato político de adesão da nova classe política, que teve de organizar a Constituição em estrita obediência aos termos convencionais.

Tal classe política beneficia de uma presunção de sabedoria, na medida em que a sua parte mais consciente e experimentada soube entender que o possível é diferente do desejável, e resolveu entrar pela porta estreita da condescendência militar. Esses fizeram certamente o que estava ao seu alcance, mas todos devemos entender que o caminho da autenticidade é uma longa marcha, da qual apenas foi dado um pequeno passo.

Muitas das contradições entre o feito e o dito, entre o proclamado e o que realmente se passa, podem ser atribuídas à luta dos que teimam em querer o poder sem as responsabilidades. Reconhecendo isto, não pode deixar de evidenciar-se que a Constituição da República Portuguesa, impossibilitada de institucionalizar sem desvios a soberania do Povo, se resignou a instaurar uma democracia vigiada pelo MFA. Uma vigilância que reclamou sem hesitação um poder pedagógico, cujo primeiro exercício foi desenvolvido pelas brigadas que, em nome do MFA e não das Forças Armadas, andaram a missionar a cólera pelas aldeias que são a nossa raiz, afrontando a sabedoria dos que vivem da terra e para a terra. Nunca, pelas minhas terras transmontanas, se tinha visto uma ignorância mais atrevida, uma irresponsabilidade que mais magoasse o Povo que vive do trabalho. A generalidade das surpreendidas gentes não estava suficientemente informada para conseguir reconhecer, em tal campanha, a transposição dos métodos psicossociais da guerra africana para a acção interna. Tal discutida técnica, que se aperfeiçoara na Argélia, fez parte da preparação profissional militar para lidar com as populações disputadas pelos movimentos armados rebeldes. Eram técnicas de grande elementarismo, e tinham sobretudo em vista fazer aceitar as tropas como colaboradoras e não opressoras das tribos. Pelo seu objectivo, esses métodos eram definidos em função do teor cultural das populações visadas, e não exigiam excessiva informação dos agentes respectivos nos domínios básicos das ciências sociais.

A utilização desse aprendizado em Portugal, além do que teve de insultante para um Povo portador de uma cultura secular e construtor da história do mundo, foi um dos primeiros anúncios do actual *terceiromundismo* que ameaça africanizar a vida portuguesa, que se instalou na própria Comissão que fiscaliza a execução da Constituição, e que anda confundido e a confundir a pobreza com o subdesenvolvimento.

Esta primeira crise foi então superada, com os irreparáveis desastres inerentes, mas o que finalmente se consagrou na prática não é susceptível de merecer a concordância dos que esperam de uma estrutura política, como requisito mínimo, a responsabilidade inerente ao poder assumido. O exercício do poder supremo por homens que em nada dependem do voto, e não se sabe que tenham dependido de designação institucional, aquilo a que se arrisca é a ser o começo da institucionalização do arbítrio. Cúpula do poder efectivo, as Forças Armadas legislam para si próprias, disciplinam como entendem o aparelho militar de intervenção, monopolizam realmente o Poder político supremo, e não podem estar pendentes de ambiguidades institucionais. Nunca é demais lembrar que o Poder se reduz a essa coisa rude e sem subtilezas que é a capacidade de obrigar os outros a cumprir. Na sua forma última traduz-se no aparato físico das armas, na brutalidade da imposição material, e, na hora da verdade, quem tem força impõe e depois explica. Nunca lhe faltarão doutrinadores e filósofos para inventar as justificações. Conta-se que um dia Estaline perguntou quantas legiões tinha o Papa, para decidir se lhe devia ser reservado um lugar na conferência da Paz. Há quem acredite que depois de morto deve ter obtido a resposta, mas enquanto foi vivo passou bem sem essa informação.

O aparelho militar, na dimensão que nos resta, pode também vir a comprovar a regra da experiência: o Poder captura-se e não se larga. É uma fórmula possível, e não faltam exemplos do Poder exercido por uma instituição, que pode ser a militar, como pode ser o Partido. Mas o que é menos costume é capturar o Poder, manter ambígua a definição de entidades como o MFA, e entregar a responsabilidade a outros. De modo que temos dois governos que nem sequer são paralelos, porque aquilo que formalmente dá pelo nome de governo só manda se lho permitem. A imagem democrática e parlamentar é assegurada por uma hierarquia civil, mas o poder dominante, o *Príncipe,* guarda-se do desgaste da administração diária, não declara a sua real estrutura, e reserva-se a comodidade da pedagogia e da advertência. Enquanto vigorarem tais condições, as Forças Armadas não lograrão proceder como uma *Instituição*. Para se institucionalizarem apenas se conhecem duas soluções: ou assumem o Poder e a responsabilidade, eliminam definitivamente o MFA, licenciam a classe política contratada, renunciam à imagem da democracia ocidental e firmam-se corajosamente no despotismo que se roga esclarecido e legitimado pelo interesse do maior número, como pretendem sempre os partidos únicos; ou reconhecem a validade dos valores ocidentais, clarificam a estrutura interna pela eliminação do MFA, e inscrevem-se regularmente na mecânica do Estado, subordinando-se sem reservas ao Governo que a soberania, sem partilhas de exercício, eleger.

A falta de autenticidade, que mantém o clima e a tradição da Constituição de 1933, é que não serve a obra de recuperação em que todos devem humildemente colaborar, para salvar das ruínas as raízes portuguesas. Não pode ignorar-se que o voto geral dos portugueses é no sentido de que não é mais suportável a ambiguidade em que vivemos, e que as lutas internas dos militares nos custam um preço que não temos o dever de pagar. A institucionalização, além de clarificar finalmente o sistema, vai representar uma apreciável economia.

Também não pode omitir-se que esta experiência muito tem contribuído para demonstrar o oportunismo da comunidade europeia ocidental, composta de governos que, desde o fim da guerra de 1939-1945, estiveram ausentes de toda e qualquer das decisões de importância mundial. Espaço vazio de poder em termos de estratégia global, a Europa Ocidental é fértil em líderes que passam o tempo a suspirar pela oportunidade de aparecerem ao menos na capa de uma das revistas da moda. Esse é o seu dia de glória. Os interesses dos outros são para eles um estribo. Servidores juramentados das democracias pluralistas, e de olhos postos no seu próprio interesse eleitoral, festejaram a Constituição Portuguesa como obra sua. O Conselho da Europa está compreensivelmente satisfeito de poder alargar o número dos seus membros. Seria interessante saber se todos eles terão sido beneficiados com a colecção das Constituições em vigor no mundo, e que a ONU, que não teve apenas detractores em Portugal como, por mal informado, afirma um dos nossos representantes, prontamente distribui aos interessados. No caso de as terem recebido e de as terem lido, não terão dificuldade em concluir que não encontram outra, na Europa Ocidental, em que o *Príncipe* tenha assumido esta definição. Pois não se trata de uma originalidade que haja vantagem em preservar, nem ela se compagina com nenhuma das mais de duas centenas de definições de democracia que andam enumeradas nos compêndios que alimentam a erudição dos discursos de comício.

> A SEDE DA LEGITIMIDADE

NA SISTEMÁTICA CONSTITUCIONAL existe um órgão no qual convergem necessariamente todas as tensões do sistema. É o Presidente da República. Nada, na letra constitucional, obriga a que seja um militar. Nada, no regime político vigente, leva a admitir que a escolha pudesse recair em civil. Por dentro das coisas é que as coisas são, e o *Novíssimo Príncipe* são as Forças Armadas. Só um militar pode adquirir uma estatura que lhe permita não ser escravo do sistema.

Há mais exemplos de organizações políticas onde, ainda que por razões diferentes, a conclusão é a mesma. É o caso já referido de as Forças Armadas terem uma função arbitral, em regime republicano. Pode lembrar-se o modelo em que a Instituição assumiu o governo efectivo e contratou a imagem democrática com uma classe política que se obriga a fazer funcionar um parlamento sem poder efectivo, com uma oposição que tem o encargo do diálogo e o compromisso de não querer chegar ao governo.

No actual regime português, o Presidente da República pode ser o agente obediente dos militares no Poder, provavelmente do MFA, como já aconteceu. E pode ser o homem legitimado pelo voto, que nessa consagração encontra o apoio necessário para desenvolver a força da sua personalidade e para conduzir a vida política para a autenticidade. Isto não implica a alteração dos dispositivos constitucionais, cujo sentido virá a ser fixado exclusivamente pela experiência. Mas o problema da técnica legislativa não é o que está em causa. Do que se trata realmente é do sistema político e da sua evolução.

A análise teórica do papel dos militares na política não ajuda muito nas previsões, e as escolas de pensamento andam prejudicadas por opções ideológicas. É clássica a desconfiança liberal que considera a classe militar como um perigo para a estabilidade dos governos e para a autonomia dos outros grupos sociais. Recentemente, a experiência da mística do desenvolvimento, confrontada com as independências dos territórios coloniais, viu nos militares uma força modernizante indispensável, quase sempre pela óbvia razão de que não existe nesses territórios qualquer outra instituição organizada, nem possibilidade de aparecer pela simples falta de quadros. Por isso tem acontecido, na competição dos grandes poderes nas zonas pobres, que quanto mais as democracias ricas ajudam financeira e tecnicamente os governos locais, mais fortalecem os regimes autoritários instalados e consolidam a supressão das liberdades civis. Este fenómeno repetido parece encontrar explicação no facto de que o exército é ali a única empresa capaz de projectar e de receber, absorver e administrar os auxílios, não havendo outras instituições nem económicas, nem trabalhistas, nem espirituais. Deste modo, os teóricos do desenvolvimento são muitas vezes levados a aceitar que as liberdades civis apenas florescem em países ricos, e que o autoritarismo militar ou de um partido militarizado é o remédio dos países pobres. A demonstração, quando vai por esse caminho, vem sempre acompanhada da projecção geográfica do critério, e, entre o mal do partido único e o mal da militarização do aparelho do poder, os mais liberais optam pela última que consideram um mal menor.

Tudo isto, até hoje, não passa de exercício escolar com pouca relação com o historicismo de cada povo, e apenas é indispensável lembrar a orientação para tolher o passo a um terceiromundismo mal informado, e de origem militar, que nos ameaça com a experiência das repúblicas africanas. O equívoco básico desta corrente é confundir a pobreza com o subdesenvolvimento, o que não lhes permite distinguir uma comunidade franciscana de uma tribo de iroqueses.

Ora nós somos pobres, mas não somos subdesenvolvidos, e temos que repudiar com firmeza o paralelismo e a intenção. De novo se recorda que Clausewitz é uma leitura castrense mais proveitosa e apropriada do que a análise desenvolvimentista que os próprios especialistas manuseiam com cautela, e nela se encontrará a inspiração suficiente contra semelhante orientação. Diz-se isto, porque foi na obra desse militar que os marxistas encontraram a noção da importância da sociedade civil, com as *suas fortalezas* e a capacidade de desenvolver uma *guerra de posições* contra a agressividade dos totalitarismos. Tais fortalezas são justamente as instituições que amparam os indivíduos, instituições que a ideologia marxista considera como instrumento de hegemonia reaccionária, e que os personalistas simplesmente defendem e sustentam como parte fundamental da sua circunstância de homens. A análise aceita-se, as conclusões tácticas não, porque os valores que o personalismo serve são outros.

A nossa pobreza não impede a força dessas instituições, cujo debilitamento se deve grandemente à falta de autenticidade da Constituição de 1933. Mas a família, a Igreja, o sindicato, a universidade, os meios de comunicação, podem e devem, numa sociedade pobre, ser tão fortes que impeçam a tutela autoritária, e permitam a livre mediação das formações políticas para encontrar o consenso que assegure o progresso em paz. Todas elas estão aptas a receber, absorver e administrar os meios que lhe sejam fornecidos, ao contrário do que se passa nas repúblicas africanas que inspiram esse ameaçador terceiromundismo.

De modo que nenhuma argumentação estrutural pode ser alinhada no sentido de impedir que a evolução constitucional se faça, pela mão do Presidente da República, no sentido de conduzir a Instituição Militar para a completa submissão à lei que os órgãos normais editem e para a completa obediência ao seu executor legítimo que é o governo. Esta evolução não é fácil quando a legitimidade do Chefe de Estado é puramente castrense, porque então todo o avanço em direcção ao apoio popular implica a troca de uma legitimidade por outra, e na passagem a queda pode ser a consequência da mudança por um simples fenómeno de desequilíbrio. Mas no caso português, a sabedoria que conseguiu introduzir a legitimidade da eleição do Presidente no sistema, implantou um enxerto poderoso no aparelho militar que ninguém elegeu e simplesmente capturou o aparelho de Estado. Estamos, daqui em diante, no puro campo da física do poder, e trata-se de impedir que venha a acontecer que uma ditadura, que pode ser irresponsável, tente pôr um termo ao desregramento. Desde Aristóteles que se sabe que esse é o ponto final da demagogia.

> A DEPENDÊNCIA EXTERNA

ESTA EVENTUALIDADE NÃO É ALHEIA ao facto de sermos cada vez mais uma sociedade exógena, inserida, em processo de perda de desempenho, na comunidade internacional. O referido processo traduz-se na crescente incapacidade de tomar decisões sem a participação alheia, muito para além das interdependências que são hoje de todos os povos. A coisa vai das definições ideológicas às necessidades económicas de menor porte.

A primeira carência, com evidente expressão na falta de doutrinadores nacionais das várias famílias de pensamento, os quais também não apareceram durante a vigência do regime que foi expulso, tem um reflexo negativo e importante na indefinição das formações políticas. O contrato com a nova classe política, que o MFA ditou, implicou para os interessados uma tal urgência de correr para a captura de um eleitorado sem treino, que o arrumo das formações eleitorais não corresponde ainda hoje nem aos interesses de quem vota, nem ao pensamento de quem é votado.

O primeiro grande sinal de debilidade foi a luta pela etiqueta de esquerda. Completamente fascinados pela semântica, resolveram que podia haver uma nova conjuntura sem direita. Deu a impressão de que todos andavam com uma mão no bolso, para que apenas se visse a outra. Quando os revolucionários de 89 formaram à esquerda e à direita da presidência da Assembleia para facilitar a contagem dos votos contra e a favor do direito de veto da coroa, não sabiam que a luta pelo uso da palavra havia de ser tão árdua no futuro. Acontece que os descendentes da família ideológica dos que então formaram à esquerda andam por aí, na maioria apelidados de reaccionários e de fascistas, a defender a economia liberal, a livre iniciativa, os méritos da concorrência, as liberdades burguesas. Por mais que as ideologias se petrifiquem e os seus defensores não se movam, a conjuntura altera-se e muda-lhes a posição relativa. Os marxistas já se queixam de estarem a ser empurrados para a direita, e desgostam-se de se verem apelidados de fascistas, com um pequeno apêndice a identificar a espécie dentro do género. A paciência, que não é uma das suas virtudes originárias, vai ser-lhes muito necessária para aceitar os factos da vida.

De tal modo a dependência externa foi um dado da nova conjuntura que, não obstante a agitação, os discursos, os comunicados, os jornais de parede, as declarações históricas, as formulações apressadas, as tomadas de posição, as profissões de fé, as profissões de dúvidas, as profissões de interesses, tudo não impediu que Gerald Ford, num dos seus lapsos denunciadores da história real, e defendendo-se de não ter impedido o plano soviético para o Atlântico Sul, declarasse ao mesmo tempo, no seu debate eleitoral com Carter, em Outubro de 1976, estas duas coisas: *que fora o seu governo que tinha assegurado a democracia em Portugal;* que reconhecia que *os países do Leste europeu são independentes,* insistindo em que verificara isso pessoalmente. Por muito que os seus departamentos e assessores tenham procurado escovilhar a segunda afirmação, mas não a primeira, é certo que a declaração se inscreve perfeitamente na situação de *condomínio de responsabilidade mundial* que os EUA-URSS se arrogam, e no qual todos os outros se arriscam a funcionar como moeda de troca, para a composição de interesses e divisão de áreas.

A URSS, justificadamente satisfeita com a contribuição que o Partido Comunista deu para a execução do seu plano estratégico mundial, abrindo-lhe gratuitamente e sem um tiro a rota do Índico e do Atlântico, em consequência da descolonização chamada exemplar em Portugal, já consagrou publicamente o Secretário-Geral desse Partido como um dos seus heróis, e foi justa. Os EUA parecem não terem sentido a necessidade de indicar o seu, talvez porque reconhecem que a sobra que reclamam não tem autonomia estratégico-política no contexto peninsular e europeu.

Por muito que estes factos belisquem os ufanismos revolucionários portugueses, que pouco importam, e sendo certo que profundamente magoam o amor da Pátria, que importa muito, o indesmentível é que os senhores do mundo nos consideram e tratam, naquilo a que estamos reduzidos, como um epifenómeno das suas controvérsias.

A maneira como apressadamente se organizaram as formações políticas consentidas, sob a direcção da classe política que interveio no contrato político do MFA, não faz senão evidenciar esta circunstância. Os socialistas europeus, instituídos em comissão de patrocínio, correram a emprestar doutrina, imprensa, plataforma, liderança, relações públicas, numa operação volumosa de transferência de tecnologia, que levou à constituição de uma Frente, a qual prestou ultimamente serviços inegáveis, mas não é ainda um Partido. O seu eleitorado não tem unidade ideológica, nem é, em grande parte, de inspiração socialista. O seu comportamento no governo, declarando-se mais nacional que partidário, mas recusando parceiros; o programa definido sem ligação com a pregação eleitoral; a ocupação dos cargos pelos amigos, tudo o torna mais parecido com uma *União Nacional* de inspiração socialista. Tal como aconteceu no passado com todas as organizações políticas do mesmo tipo, o anticomunismo foi a sua lança, não obstante a sua liderança ter declarado, segundo a imprensa, que não é Marx nem Lenine que o separa dos comunistas, mas sim Estaline. Todavia, recolheu sabiamente os resultados da reacção contra os excessos do Partido Comunista Português, com o qual tinha estado solidário no arranque e durante grande parte da devastação que sofremos, capturando com indiscutível capacidade táctica o esforço de contenção cujo início se deve aos católicos, liderados pela respectiva hierarquia. Filiados seus ocuparam a administração da Justiça, as finanças, e a representação nos actos formais da descolonização, mas declarou-se alheio às prisões arbitrárias e às torturas, negou a existência de presos políticos, condenou o descalabro financeiro, lavou as mãos das consequências da descolonização chamada exemplar.

Aceitando tudo isto pelo seu valor facial, como é imperativo para o analista na dúvida, tem pelo menos de concluir-se que, enquanto ocupou os cargos, a sua classe política cumpriu o contrato de dar cobertura, com uma imagem democrática, ao exercício do poder pelo MFA, solidariamente responsabilizado com o Partido Comunista Português pelos malefícios que agora enumeram, e que nos reduziram a indigência em que nos encontramos. Há em tudo isto uma falta de coincidência entre a realidade e a aparência que não comprova uma ruptura tão profunda como se diz com hábitos e práticas constitucionais do passado, e que exige análise dos estudiosos.

Mais estruturada como Partido, mas prejudicado pelos arranjos e barreiras de origem externa, enquadrado na evolução do Estado moderno ocidental, com raízes doutrinais coerentes, sem as ameaças aniquilantes do Eurocomunismo que ronda os socialistas, é a formação Social-Democrata, que todavia também perturbou a informação clara do eleitorado pelo erro semântico das denominações e por não ter eliminado aparências ou realidades tecnocratas que não ajudam a conduzir o eleitorado ao entusiasmo e à confiança.

Definidos, partidos feitos, são o Comunista e o Centro Democrático-Social, que polarizam opções claramente motivadas, que assumem as escalas de valores contraditórios em confronto, que por isso revelaram até hoje as duas linhas de acção mais coerentes, e que também por isso são naturalmente minoritários. O último, sobretudo, empurrado pelo MFA para o papel de oposição destinada a nunca chegar ao poder, objecto de pressão para se resignar a comparsa da imagem democrática, tem nisso a vantagem da travessia do deserto, que só os comunistas verdadeiramente conheceram no passado, e a oportunidade de assim afinar os princípios, purificar os quadros, fortalecer a determinação das bases. Entre as suas dificuldades, está a campanha internacional dos seus adversários, que dominam os meios de comunicação, e lhe atribuem sistematicamente a herança exclusiva do regime expulso, o que não é verdade.

Deste modo, em todas as direcções, a dependência internacional afecta a possibilidade da formação e do crescimento de um pensamento originariamente português para a condução do Estado.

Esta é uma das servidões que devemos ao processo revolucionário do MFA, do qual, alguns dos membros conhecidos, depois de terem proporcionado a exportação dos cubanos para Angola, mostram desejar importar o Castrismo para Portugal: tempo para estudarem a realidade portuguesa, meditando o desastre que causaram, e capacidade para construir uma solução nacional, são duas coisas que não possuem, porque o primeiro o gastam nas disputas pessoais, e a segunda simplesmente lhes falta porque não possuem nem informação nem experiência.

E assim nos encontramos perante o Mundo, de mão estendida a pedir, cochichando promessas oficiosas ao empresariado expulso, insinuando planos aos financiadores estrangeiros, aceitando a tutela dos emprestadores, mas sem praticar o único acto positivo e necessário que é arrumar a casa, explicar como vão ser entendidos os princípios constitucionais que já ninguém usa citar, escolhendo o campo internacional em que desejamos instalar a primeira das nossas amarras, e oferecendo para isso um contrato de progresso em cuja estabilidade acreditem aqueles de cuja cooperação, auxílio e solidariedade dependemos, e que precisamos de atrair como parceiros e não como curadores. Para que acabe a humilhação de nos virem trazer a casa receitas irresponsáveis, disfarçadas em festejos ideológicos, é necessário reassumir de vez a natureza do Estado no qual se pode confiar, e que tivemos durante séculos, através de vários regimes. Para isso é indispensável terminar com a confusão semântica em que anda acobertado o regime que ninguém é *capaz* de definir completamente, e aceitar que uma Revolução não é uma festa à mesa do orçamento. Os trabalhadores e camponeses serão os primeiros a entender isto, se finalmente lhes puder ser explicada a teoria de erros em que nos enredaram a Pátria que é deles. Então, sim, o eleitorado poderá exercer o seu direito de definir um projecto de vida digna para o futuro, e legitimar com autenticidade as formações políticas encarregadas de o executar.

> A VARIÁVEL ESTRATÉGIA RUSSO-AMERICANA

EMBORA O "NOVÍSSIMO PRÍNCIPE" seja militar, e de sede incerta, não se explicou ao povo que a variável dominante da conjuntura é estratégica. Não é ideológica, não é a luta entre a democracia estabilizada ocidental e a democracia popular, não é a dicotomia entre proletários e capitalistas. A esmagadora maioria da população do mundo não vive esses problemas, não tem um sistema produtivo que permita a conceituação marxista, é antes simplesmente pobre, e a sua maior fatia é também subdesenvolvida, espiritualmente, tecnicamente e economicamente. Todo o hemisfério sul, com excepções contadas, é a tal moldura que corresponde. De maneira que os conflitos dominantes, como há séculos acontece, decorrem entre poderes políticos globais e traduzem-se em soberanias fortes pretenderem subordinar soberanias fracas.

Absorvidas com o anticolonialismo, muitas das vítimas vão suportando todas as outras muitas formas de imposição, que andam longe do modelo da sociedade internacional igualitária que os textos proclamam e os doutrinadores prometem. As lutas sociais, os conflitos ideológicos, são variáveis menores dentro de um quadro em que aquela competição é essencial. São os países, como comunidades, as vítimas dos planos de dominação mundial que se defrontam. No famoso *Congresso das Denúncias* de Krutschev, foi publicamente adoptado o projecto de aceitar o desafio estratégico que decorre da unificação do Globo, e decidido impor uma ordem mundial soviética que, arrancando pelas zonas pobres do sul do mundo, venha a dominar a *cidade planetária* que é representada pela Europa rica e pelos EUA. Simples aplicação da regra maoísta de que o campo pode vencer a cidade, que as zonas pobres podem dominar as ricas. Este plano, em cuja execução quem menos colaborou foi o seu inspirador Mao Tsé-Tung, tem sido aplicado com um brilhantismo digno de respeito. A definida linha dos três AAA (Ásia, África, América Latina) tem sido ocupada, com percalços menores, em ritmo que não abranda, e um dos seus resultados mais espectaculares é que o Mediterrâneo é hoje um mar russo-americano, onde nenhuma esquadra europeia tem qualquer palavra a dizer.

Sempre que o mundo, em qualquer área, esteve em desordem, também sempre um poder dominante veio impor uma ordem. Porque hoje a desordem é mundial, o desafio é o de um poder dominante decretar uma ordem também mundial. De modo que todos correm o risco de se encontrarem subordinados, como países, aos interesses de outras soberanias, que vão utilizando a degradação do consenso nacional com o apoio dado às lutas internas que eles próprios, se necessário, suscitam.

É pouco o que se pode fazer, isoladamente, contra essa competição mundial dos grandes poderes, mas está nas mãos dos povos interessados impedir que a luta interna facilite a servidão exterior. A divisão entre povos exploradores e povos explorados, países dominantes e países dominados, países soberanos e países satélites é a primeira das tensões existentes, e a mais característica da conjuntura. Com vocação mundial apenas estão actuantes os EUA e a URSS, sendo que esta leva vantagem em todas as linhas de acção, sendo igualmente certo que mantém uma coerência mais permanente e uma fidelidade aos amigos mais sólida do que os EUA.

O facto, que necessita de passar do conhecimento dos iniciados para a informação geral do eleitorado, torna bem clara a falta de sentido de Estado que levou a entregar gratuitamente as posições portuguesas a um dos competidores, que é a URSS. O mundo pôde assistir depois ao ridículo de o Secretário de Estado Kissinger andar logo de seguida a correr pela África atrás dos factos, clamando que não admitia outra Angola, coisa fácil de conseguir porque não há outra.

Estamos, no mundo, perante um assumido *condomínio de responsabilidade russo-americana,* cuja evolução é útil conhecer, ao menos para tentar inventariar o que já perdemos como força de negociação, e o que nos arriscamos a perder do que resta, se deixarmos morrer ou não fortalecermos o consenso nacional.

Tal condomínio de responsabilidade russo-americana tem o seu documento base nos Acordos de 26 de Maio de 1972, conhecidos como SALT-1. A sigla abrevia a designação oficial, que é *Strategic Arms Limitation Talks.*

Os antecedentes destas negociações, todos se reconduzem à evolução das armas nucleares, a partir do bombardeamento de Hiroshima e Nagasaki, respectivamente em 6 e 9 de Agosto de 1945. A evolução acelerada da *potência explosiva* e dos *vectores,* isto é, dos meios de transportar o engenho até ao alvo; a criação de mísseis portadores de várias cabeças nucleares (MIRV), e partindo de terra ou de submarinos nucleares; o facto de entre a primitiva bomba A (atómica) e a bomba H (termonuclear) não haver termo de comparação: tudo levou a uma situação em que, pela primeira vez na história da Humanidade, dois mundialismos em presença são levados a procurar entender-se para o condomínio da responsabilidade do Globo.

Estamos longe do famoso *Relatório Franck,* de 11 de Junho de 1945, no qual os sábios estarrecidos com a energia que tinham libertado, pediam medidas que não permitissem ir mais longe do que a uma política de dissuasão pela ameaça. O monopólio americano, período ao qual essa diligência pertence, foi rapidamente eliminado, e logo em 1957 o Secretário-Geral Krutschev dizia claramente: «*É necessário afastar as folhas da alcachofra para lhe encontrar o coração, e o coração deste problema são as relações entre a URSS e os EUA*».

De facto, ambas as potências se encontram, desde então, à margem e com total alheamento das ideologias, a colaborar para conseguir a imposição de uma estrutura mundial que evite a disseminação e proliferação do armamento nuclear; que assegure a limitação quantitativa dos armamentos; que encaminhe a competição entre eles próprios para os domínios da qualidade.

Sabem ambas que existe a possibilidade de destruir a Humanidade, e que não vai fazer muita diferença, nessa hipótese, a filiação política de cada povo.

Nunca foi possível às duas superpotências impedir nem a proliferação nem a disseminação, admitindo-se que até ao fim da década mais de trinta países disponham dessas armas. E perante isto, ultrapassando os patamares do que se chamou o *equilíbrio do terror, as represálias maciças e a resposta graduada,* o que ambas procuram agora é dissuadir-se mutuamente de uma agressão termonuclear e conseguir impor uma ordem ao resto do mundo. Para isso adoptam uma política de *razoabilidade,* que é simplesmente a aceitação do facto de que a guerra é um problema de gestores e não um problema de emoções, pelo que não serão de esperar acções que ponham em risco os respectivos interesses fundamentais.

Na nova ordem mundial procuram ir incluindo os países que chegam ao patamar nuclear, mas guardam para si a função de um *Directório* informal. O Tratado de 1 de Julho de 1968, chamado *Tratado de não proliferação das armas nucleares,* foi o primeiro passo importante para institucionalizar tal função directora. É nesse diploma que os Estados nucleares se obrigam a não transferir as suas armas para outros, e também a não ajudarem outros Estados a tornarem-se potências nucleares; os Estados não nucleares aderentes obrigam-se a não aceitar transferências de armas vindas de outro Estado e, ainda, a não procurar adquiri-las ou fabricá-las.

É certo que os chamados membros do *Clube Atómico* não aderiram, mas a política conjunta dos EUA-URSS é claríssima. A teoria do Directório continuou a desenvolver-se com os Acordos de 26 de Maio de 1972 já referidos. O seu ponto mais importante é o que se refere aos famosos ABM (*anti-ballistic missiles*), regulando a defesa de cada um dos países interessados contra os ataques do outro. Em resumo, e pela primeira vez na história militar, desenvolve-se uma teoria de salvaguarda da paz pela manutenção do medo recíproco.

Cada um deles, URSS e EUA, deve limitar as suas defesas de *objectivos vitais* em termos de não se sentir de tal modo protegido que possa ter a tentação do *primeiro golpe*. Para isso é necessário estar sempre razoavelmente à mercê do adversário, que também tem a consciência permanente de ser vulnerável à destruição.

Este conjunto de precários acordos tem em primeiro lugar o significado de demonstrar que cada um dos interessados actua na base de um *mundialismo estratégico,* que necessariamente coloca em segundo lugar os interesses regionais ou de aliados individuais. Daqui decorre a debilitação das alianças regionais a que assistimos, o progresso da teoria da neutralidade, a atracção do neutralismo, a revisão dos alinhamentos, porque todos sabem que as grandes potências não hesitam em usar qualquer interesse alheio como moeda de troca.

Entretanto, a política da *razoabilidade* vai-se desenvolvendo entre a URSS e os EUA; acordos de 1974 nos domínios da construção civil, da energia, da cooperação económica, industrial e técnica; encontro espacial de 1975; prorrogação até 1977 da convenção de 1972 sobre armamentos estratégicos ofensivos; negociações previstas para novo acordo que durará até 1985; projecto de convenção de 1975 para evitar o uso das técnicas de modificação do meio ambiente. O acordo de Helsínquia, de 1 de Agosto de 1975, não faz senão confirmar a prioridade que EUA-URSS atribuem aos seus interesses mundiais respectivos sobre os interesses alheios. Estamos muito longe da filosofia que orientou a Carta da ONU, e dos seus ideais de segurança colectiva. É fora dela que os interesses mundiais dos grandes se definem. A ONU é um *fórum* para os interesses dos outros.

Dentro deste quadro se passa a competição das duas superpotências, e não é de espantar que uma delas se gabe de assegurar a democracia em Luanda, e a outra se reclame de a ter preservado em Lisboa. A violência estrutural a que o globo está submetido, com apenas potências nucleares menores, que pouco contam, atribui razoabilidade a todas essas afirmações, por muito que firam os brios e até a verdade. Num *Boletim de Informações* de 31 de Março de 1969, a China já declarou o seguinte: *«as teorias da soberania limitada e da ditadura internacional pisam abertamente o princípio universalmente reconhecido da soberania do Estado e servem inteiramente o objectivo criminoso do social-imperialismo revisionista soviético: dominar o mundo».*

Estes factos, notórios, tiram credibilidade à alegação dos que declaram agora que, até Novembro de 1975, se mantiveram solidários com o arranque devastador do Partido Comunista, porque o supunham obediente ao jogo democrático. Sobretudo, não é aceitável que profissionais militares estivessem de tal modo alheados das realidades da estratégia mundial, que pudessem sustentar, salvo por obediência ideológica, que a tomada completa do poder era para os comunistas um objectivo a médio, ou longo prazo, mas não imediato.

Esta explicação que vem da área do MFA, e que foi adoptada pela classe política que lhe é mais íntima, não se compagina com a tentativa de fazer intervir as forças da NATO em Portugal, quando da crise spinolista, e que, segundo depoimentos publicados, foi objecto das diligências do então Presidente da República e dos seus assessores militares, em luta com a linha dominante do MFA. Foi alegado o fundamento de que o país estava a ser vítima de uma agressão estrangeira. O raciocínio divulgado, foi que as armas em poder das forças dominadas pelos comunistas tinham essa procedência, assim como estrangeiros eram muitos dos seus condutores.

Este conflito, estabelecido na área militar, demonstra pelo menos uma coisa: que sabiam todos que o caso português era um elemento da confrontação estratégica mundial. Só que o Tratado do Atlântico e a prática da NATO não cobriam a hipótese portuguesa. Os membros da NATO têm o dever da consulta recíproca e da partilha das informações, para impedir o alastramento do sovietismo ao que resta da Europa, tendo em vista a contenção da agressão militar para aquém da linha de fronteira reconhecida e aceite entre os dois blocos em confronto. Mas a intervenção da NATO em cada país da área ocidental não está prevista nem é de supor, porque a NATO não é a Santa Aliança. Isso existe, sim, mas na área do Tratado de Varsóvia, onde a *doutrina da soberania limitada* justifica a presença e a intervenção constante do milhão de homens que a URSS espalhou pelos satélites. A NATO, de olhar fixo no eventual avanço das tropas soviéticas, pode e deve excluir um membro cujo regime interno demonstre que não alinhará lealmente nesse confronto eventual, mas não tem nenhuma doutrina ou prática equivalente à da soberania limitada imposta pelos soviéticos para assegurar a submissão dos seus parceiros. Também acontece que nenhum dos Estados europeus da NATO tem um governo que queira, e que querendo possa, consentir no envolvimento de forças suas para debelar qualquer problema interno dos seus aliados. As questões desse tipo excedem o Tratado e a vontade das médias e pequenas potências nele envolvidas. São problemas que apenas encontram debate e acordo no diálogo directo URSS-EUA.

Não há pois nenhum lugar no mundo onde, se as circunstâncias internas o permitirem, a tomada do poder pelos comunistas não seja imediata e por qualquer meio, se os acordos de circunstância, a que as vítimas são alheias, não o impedirem. Também não há Partido responsável, por essa Europa fora, que não saiba que o chamado *Programa Comum de comunistas e socialistas,* é uma táctica imposta ao comunismo tradicional pela estrutura resistente da sociedade civil, não é um princípio. Foi afortunado para todos que os partidos aliados do Partido Comunista Português, sobretudo o Socialista, tivessem abandonado a aliança e actuado, em defesa própria, para impedir a consumação do assalto ao poder. Mas não lhes vale a pena lavar as mãos do passado, com o ar de não terem nada a ver com o desastre presente: esta é também irrecusável obra sua, por acção, por omissão, por impedirem os outros de agir. Acresce que não tem qualquer fundamento aceitável o cuidado de demonstrar modernidade de pensamento afirmando o não comunismo, mas rejeitando uma atitude anticomunista, considerada provinciana e retrógrada. Se os que afirmam isto querem dizer que nada têm contra a exposição e defesa eleitoral de um projecto de sociedade onde tenha sido abolida toda a exploração do homem pelo homem, de facto não estão a falar de nada que esteja em causa, porque o que anda à solta é a luta pela captura do poder, por qualquer meio.

> A INSTITUCIONALIZAÇÃO DAS FORÇAS ARMADAS

DE TODOS OS ÂNGULOS DE EXAME, a conclusão pragmática é que a normalização da vida portuguesa depende da institucionalização das Forças Armadas, até agora impedida pelo MFA. E isto nos leva de novo a Maquiavel e à doutrina do *Príncipe,* porque foi Maquiavel também quem primeiro entendeu a importância do carácter nacional do exército. Não chega definir o tipo normativo do militar, e introduzir no conceito a referência às virtudes profissionais que são classicamente enumeradas. Tais virtudes já eram as mesmas antes de a Nação ser o valor político básico, e não são diferentes das que para si próprios reclamam os mercenários. Um bom combatente não é, só por isso, um soldado nacional. Mas não há exército nacional se as virtudes tradicionais do soldado não forem preservadas nas fileiras. Um exército nacional é uma *Instituição* no sentido rigoroso do termo, isto é, um conjunto de homens aos quais se confiam os meios supremos do poder de coagir, para que assegurem com eles a integridade dos valores nacionais em que acreditam. A Nação não está ao seu serviço, são eles que estão ao serviço da Nação. Na definição dos interesses nacionais, participam como cidadãos, mas obedecem como servidores. Não podem constituir um corpo separado das outras instituições por especiais privilégios, só podem estar diferenciados por deveres específicos, como acontece com quaisquer outras instituições e seus membros.

A deferência especial que os militares tradicionalmente merecem dos povos, resulta de estes os olharem como tendo adoptado um modo de morte quando as circunstâncias o exigirem, e não como tendo escolhido um modo de vida, entre outros possíveis. Por isso, em conjunturas graves, também os povos tradicionalmente aceitam que a Instituição Militar exerça directamente o Poder, teoricamente quando o risco agudo exija a prontidão para o sacrifício excepcional. Mas a vida normal das nações, como a dos indivíduos, não decorre por esses picos de desafio, requer antes a heroicidade diferente do quotidiano. E este quotidiano, para os Estados que não são subdesenvolvidos, é definido numa Constituição que conta com a obediência de todas as instituições ao governo, nos termos da lei. Antes de mais, assenta no poder do governo para ser obedecido. E, seja qual for a semântica constitucional, é onde estiver um poder, oculto ou declarado, jurídico ou apenas de facto, que possa impor em vez de obedecer, que está o governo, seja qual for a terminologia.

Na actual conjuntura, é evidente que as relações entre o poder militar e o que se chama governo, precisam de uma clarificação. Se a emergência existe, as Forças Armadas que governem; se a normalidade é suficiente, as Forças Armadas que obedeçam. O que não é saudável é que estas guardem para si o poder pedagógico que já obrigou a votar a Constituição com estrita obediência, pelos deputados eleitos, às imposições prévias do MFA, que assim se arrogou um poder anterior e superior àquilo que chamaram soberania popular. Um poder vigiado e limitado não é soberania, e se alguns deputados constituintes deram prova de sabedoria fazendo o que podiam, não puderam fazer aquilo que pertenceria a uma Constituinte sem vigilantes armados. O contrato prévio com o MFA tirou-lhe a natureza soberana.

Esta falta de autenticidade inicial viciou o sistema na origem, e não deixará de lhe trazer prejuízos crescentes. Tudo parece suspenso de uma expectativa: os partidos concordam em que os socialistas governem sozinhos, guardando as vantagens da crítica, poupando-se do desgaste governamental, mas de facto participando das responsabilidades, porque o consentimento também obriga; os socialistas querem o proveito do governo solitário, mas defendem-se do desgaste declarando-se no governo mais nacionais do que partidários, colhem desembaraçadamente no programa dos outros a plataforma de acção, desculpam-se com os militares quando a autoridade não lhes é suficiente; os militares externam apenas a pedagogia da advertência em relação ao governo, não querem o desgaste da intervenção na administração diária, mas guardam o poder efectivo e disputam--no entre si dentro do aparelho militar. Finalmente, a sociedade civil vê-se a braços com os poderes emergentes mas indisciplinados que mutuamente se desafiam, e só obedecem relutantes, quando o fazem, à coordenação ou à gestão que de tempos a tempos desponta em lugares incertos do Estado.

Temos insistido em que um dos traços característicos da continuidade das práticas constitucionais portuguesas, antes e depois da Revolução, é o cuidado de manter a culpa na situação de solteira. É tempo de

alguém assumir clara e definitivamente a responsabilidade simultânea do poder e do governo, arcando
com os êxitos, os erros, e as culpas, e submetendo-se
regularmente à prestação de contas constitucional.

> A SOCIEDADE CIVIL
  E A IGREJA CATÓLICA

A ÚNICA RESISTÊNCIA À DESAGREGAÇÃO nacional, que sempre foi eficaz, quando o Estado sucumbe ou não desempenha a sua função, encontrou-se nas cidadelas e trincheiras da sociedade civil. Os totalitarismos sabem isso, e por tal razão sempre procuram eliminar, destruir, ou debilitar as autoridades naturais que lhes são anteriores. Não teria sido possível a resistência europeia à invasão nazi, à agressão soviética, e à destruição brutal da libertação, no período de 1939-1945, se as autoridades da sociedade civil não tivessem preservado as suas bases para uma guerra de resistência, que depois evoluiu para uma guerra de movimentos, e teve o seu êxito espectacular na reconstrução europeia pela Democracia Cristã.

Esgotada esta hoje pelo esforço desenvolvido, pelo desgaste do poder, e pelos vícios que o longo exercício do governo faz nascer em todos os partidos, não pode recusar-se-lhe o activo de ter lançado os fundamentos do espaço em que se debatem as reformulações europeias.

De igual modo, se a energia portuguesa pôde deter a tentativa de comunização forçada do país, foi porque essas cidadelas e trincheiras da nossa sociedade civil, sobretudo as nortenhas, se revelaram ainda sólidas e determinadas.

De entre elas tem de se pôr em evidência especial a Igreja Católica, que realmente comandou a reacção, e cuja importância secular na vida portuguesa não dispensa nunca um exame particular. Não há neste caso modernidade que possa dissociar a Igreja da História de Portugal e apagar a sua acção em todas as épocas. Desde D. João Peculiar a D. Sebastião de Rezende, em oito séculos, esteve sempre presente e participou das responsabilidades históricas portuguesas. O sistema da Concordata e do Acordo Missionário foi apenas a última expressão formal de uma longa intimidade com a soberania, a forma moderna da secular relação com o poder político-católico em expansão, anteriormente coberta pela teoria do Padroado.

Este Padroado nunca foi concedido pela Santa Sé senão a quem pudesse exercer a hegemonia política nos territórios a evangelizar. E, embora juridicamente se entenda que o Padroado é um direito que só por mútuo acordo entre a Santa Sé e o Estado Padroeiro poderia ser modificado, o pressuposto da sua atribuição haveria sempre de fazer entrar em conflito o conceito de direito com o realismo. E os factos ganham sempre, porque não se pode discutir com eles.

Logo que a conjuntura mostrava que a acção do Padroeiro perdera o seu pressuposto de hegemonia política, a revisão do direito aparecia reclamada. Em relação ao Padroado Português do Oriente, esta tese foi defendida pelo Padre Adelhelm Jan, para o qual a concessão do Padroado pressupunha, na sua origem, o domínio português no Oriente e acabaria com o desaparecimento deste. Era evidente que esta tese receberia sempre o apoio dos Estados que de novo se instalavam nas terras dos velhos Padroados.

Na forma nova do *Acordo Missionário*, não há dúvida que os textos atribuíam à missionação católica, financeiramente sustentada pelo Estado Português, a obrigação de fazer *católicos-portugueses*. Não era apenas da conversão religiosa que se tratava, mas também de uma colaboração efectiva e considerada essencial para o fortalecimento e multiplicação das fidelidades ao Estado colonizador. A conversão ao catolicismo era importante, mas não suficiente. Era necessária a conversão ao portuguesismo.

Este acrescentamento cívico, por obrigação legal contratada, à acção missionária católica, tinha correspondência na acção evangelizadora empreendida por outras igrejas cristãs, mesmo nos territórios portugueses. Os protestantes também não mantiveram nunca a sua evangelização emancipada de envolvimentos terrenos. Ajudam os poderes nascentes. Um ajudar muitas vezes difícil de distinguir do cortejar. Talvez, em alguns casos, porque o protestantismo não esqueceu, nessas paragens, a sua origem de Igreja de Estado, ligada ao poder político por hábito e natureza. Mas, seja qual for a boa explicação, o protestantismo envolveu-se em problemas políticos, tomou partido em querelas temporais.

No que respeita particularmente à Igreja Católica, o referido conflito entre a natureza jurídica do Padroado, e o pressuposto político da sua coesão, foi o que esteve na base das graves divergências que surgiram ao longo dos tempos, entre Portugal e a Congregação de *Propaganda Fide*, instalada em 1622 por Gregório XV. O Oriente foi o principal teatro dessa disputa, que ali terminou para sempre com a invasão de Goa. Mas a questão continuou, e esteve viva, nesta forma nova do Acordo Missionário pelo que respeitava aos territórios africanos, hoje tornados independentes.

O primeiro dos missionários que, pelo seu ensino e acção, se demonstrou consciente de que, na África Portuguesa, estava a chegar a hora de tal confronto, foi D. Sebastião de Rezende, Bispo da Beira, português e padre exemplar. A sua morte representou um dos raros momentos de real ecumenismo religioso nos trópicos. Todas as confissões religiosas estiveram representadas nas homenagens fúnebres ao cristão que, desenganado dos médicos, veio apressado e de longe para morrer na sua diocese. Os palmos de terra onde foi enterrado, ainda são lugar de encontro e de meditação para os que não desistiram de ver a África aceitar a convergência que pregou. Foi um cristão patriota, atacado por interesses dos quais alguns se colocaram acima da Pátria, e o amarguraram. Viu aproximar a hora da crise, e pretendeu a instauração de um regime sociopolítico interior que permitisse ao pluralismo português e lusíada subsistir unido. A sua inspiração e intervenção foram principais na tentativa frustrada do reformismo em que estive envolvido, a sua participação nessa tarefa foi apaixonada. A despedir-se da vida, sabendo quanto tempo tinha disponível, e no seu leito de moribundo, pregava-nos ainda a esperança, e a meditação de São Tomás e Chardin. O caminho do meio e a convergência final.

A frustração deste reformismo, pregado pela voz de D. Sebastião, teria como passo seguinte, necessário e inevitável, o da revisão unilateral da posição missionária católica, como também sempre acontecera na história dos Padroados, sem importar a forma jurídica da relação. Os conceitos são deitados fora para que a vida passe. O incidente dos *padres brancos* expulsos de Moçambique, a audiência papal aos dirigentes dos movimentos armados, a tomada de posição do Bispo de Nampula Vieira Pinto, em 1974, foram a repetição analógica de modelos já experimentados no passado. Foi a Igreja que, assim como sentiu a necessidade de abandonar o modelo do Padroado, também sentiu necessário abandonar, antes do fim da luta, o modelo do Acordo Missionário e substituí-lo pela acção directa, e com independência do poder temporal. Fazer cristãos, e não cristãos portugueses.

O reconhecimento da incapacidade política do padroeiro não aconselhava manter as relações do tipo do Padroado ou do Acordo Missionário. Era um novo poder político que se avizinhava, e, portanto, o pressuposto político do Acordo desaparecia. A doutrina do Padre Jan voltava à actualidade, e implicou um julgamento missionário, não sobre o direito do Estado, mas sim sobre a sua capacidade de impor o seu direito. Porque o dever de missão é hoje o mesmo da data em que os Tratados foram assinados. O poder do Estado é que, naquela data, já não era o mesmo. Foi isso que mudou, e é aos factos que se referem estas palavras de Monsenhor Vieira Pinto, definindo o oportunismo missionário para a conjuntura: «*O povo de Moçambique tem direito à sua independência e caminha a marchas forçadas para ela. A pastoral não pode desconhecer este novo contexto histórico. Terá de abandonar estruturas e métodos que de algum modo manifestam os pecados do colonialismo e do triunfalismo; terá que criar um novo estilo de presença do missionário, um novo modo de actuar; terá que inserir-se no processo e no projecto histórico, se quer ser eficaz; terá que apresentar uma Igreja mais ao serviço do povo, mais sinal de liberdade e de comunhão fraterna. Enfim, uma pastoral que suscite no povo uma profunda e rápida transformação, uma Igreja verdadeiramente autónoma».* Para a vida saltar por cima dos conceitos, o Bispo despedia-se da soberania moribunda com este breve responso.

Este realismo episcopal, que neste caso não difere do realismo dos estadistas, não pode todavia autorizar a negação das responsabilidades passadas, nem permite aos juristas canónicos condenar os direitos que a Igreja consagrou. Estão apenas em posição de atestar a mudança da conjuntura, e definir uma nova posição da Igreja para o futuro.

Ora, esta posição não é exclusivamente ligada a Portugal, diz realmente respeito à teoria geral das relações da Igreja com o poder político, e até à sua definição histórica como responsável pela formação de um espaço ocidental onde esteve sediado, até há poucos anos, o governo político do mundo. O processo em curso de desvinculação temporal da Igreja a esse espaço, para tornar inequívoco o ecumenismo que melhor corresponde à unificação e socialização do globo, parece um imperativo de actualização da Igreja para os novos tempos. É muito de esperar que, assim liberta dos embaraços políticos, possa firmar-se como uma das fortalezas da vida civil, correndo os riscos que esta sofre perante as ameaças crescentes aos valores que a doutrina católica ensinou que são anteriores e superiores ao Estado. Não há porém razão para esconder os embaraços que os fiéis por sua vez sofrem em face das indefinições, talvez naturais, que algumas vezes parecem destoar da nova linha. Pode omitir-se a perplexidade de muitos em face do silêncio da Santa Sé sobre a mortandade dos católicos da Irlanda? Ou sobre a mortandade dos católicos do Líbano? Todos conhecem os motivos humanos que podem explicar esse silêncio, mas alguns não deixam de perguntar se não dirão ainda e todos respeito aos velhos problemas das relações com as soberanias. O que se espera é que as urgências do homem e da sociedade civil definitivamente tenham absoluta prioridade.

> A AMEAÇA DO TERCEIROMUNDISMO

São "os poderes da sociedade civil" que definitivamente distinguem os pobres dos subdesenvolvidos. Nos primeiros anos da guerra de África, quando em 1961 a violência explodiu, apareceu um livro que podia ser encontrado em todos os lugares em que as tropas estavam acantonadas. Trata-se de Os Centuriões, de Laterguy. Vale a pena transcrever a carta do centurião da Legião Augusta, Marcus Flavinius, que abre o livro. Diz o seguinte: «*Tinham-nos dito, no momento em que deixámos a terra natal, que partíamos em defesa dos direitos sagrados que nos são conferidos por tantos cidadãos instalados lá longe, tantos anos de presença, tantos benefícios concedidos às populações que têm necessidade do nosso auxílio e da nossa civilização.*

Pudemos verificar que tudo isso era verdade, e, visto que era verdade, não hesitamos em derramar o imposto do sangue, em sacrificar a nossa juventude, as nossas esperanças. Não lamentamos nada, mas enquanto aqui este estado de espírito nos anima, dizem-nos que em Roma se sucedem as intrigas e as conspirações, se desenvolve a traição e que muitos, hesitantes, perturbados, cedem com facilidade às piores tentações do abandono e aviltam a nossa Nação.

Não posso acreditar que tudo isso seja verdade e, no entanto, guerras recentes mostraram até que ponto podia ser pernicioso um tal estado de alma e ao que ele podia levar.

Suplico-te, tranquiliza-me o mais breve possível e diz-me que os nossos concidadãos nos compreendem, nos defendem, nos protegem como nós próprios protegemos a grandeza do Império.

Se tudo fosse diferente, se tivéssemos de deixar em vão os nossos ossos embranquecidos sobre as pistas do deserto, então, cuidado com a cólera das legiões».

Se quisermos atribuir uma base física ao alvo da cólera das nossas legiões africanas, que liam o livro, podemos, sem esforço nem injustiça, situá-la em Cascais. Naquele pedaço de terra estava a sede do poder real que tinha largamente capturado o poder do Estado chamado corporativo. A tecnoestrutura habituara-se a viver nas imediações, e participava na festa que insultava frequentemente os sacrifícios das populações e dos soldados. Os bailes do século que se repetiam em disputa, os cruzeiros de luxo, o cosmopolitismo, o aparato exterior, e a imagem destruidora que as crónicas mundanas divulgavam, davam o sentimento, aos que gastavam a vida no serviço, nem sequer profissional, das fileiras, de que havia duas Nações. Os que festejaram o 25 de Abril com mundanismos, e disso fazem hoje prova da sua fidelidade de sempre aos ideais democráticos, não pertenciam nem a uma nem a outra: eram a esquerda festiva que existe em todos os países, e que inveja os privilégios da primeira sem ter participado nos sacrifícios da segunda.

Que a festa continue agora nos mesmos lugares, com outra gente, não demonstra que o forte sentimento da necessidade de morigeração da vida do povo pobre, que somos, e que soprava de África, tenha conseguido implantar-se. Uma festa que vai corroendo as trincheiras e cidadelas da sociedade civil, que tem levado ao desmoronamento acelerado das famílias, à desorientação dos governos, ao consumo elevado das drogas, ao progresso da pornografia.

As barreiras que foram eficazes para a detenção da vaga destruidora que ameaçou sovietizar a vida nacional são agora o objecto do assédio dissolvente.

A revolução industrial, quando levou à substituição das autoridades tradicionais do poder político, não se dispensou de implantar sólidas autoridades na sociedade civil, que asseguravam a sustentação dos valores individuais: na família, na empresa, na universidade, no sindicato, o governo privado existia e não temia as ameaças do Estado.

O totalitarismo, de todos os sinais, sempre teve consciência disso, e por isso também nunca evitou, contra essas autoridades, a batalha indispensável para se assegurar do monopólio das decisões. Os lamentos conservadores, que se ouvem por todo o mundo, contra a revolta dos jovens, omitem sempre dizer que foi o extremismo dos seus governos totalitários, acompanhado pelos soviéticos, que estabeleceu o precedente da destruição da autoridade familiar e o desaparecimento desse processo legítimo de integração social das gerações. Foram tais governos quem organizou as formações juvenis, assumiu perante elas as funções da autoridade natural afastada, deu-lhes um sentimento de unidade e diferenciação, e só não previram que a revolta poderia ser também um dos frutos dessa coacção. Este é apenas um dos exemplos significativos do desamparo da vida civil, quando as suas autoridades naturais são substituídas pelo Estado.

Na luta pela captura do poder, que os dois mundialismos desenvolvem, tal experiência está sendo aproveitada em todos os restantes sectores da vida privada. E por isso vemos que não abranda o processo dissolvente da vida civil. Não se trata da humanização da vida, do progresso da igualdade total dos sexos, da reformulação dos processos de socialização dos jovens, do acesso da imaginação ao poder para encontrar as fórmulas exigidas pelo desafio da época, tudo responsabilidades de que a sociedade civil não pode alhear-se, no caso de não querer sucumbir ao totalitarismo moderno.

E a submissão total da sociedade civil que está em causa quando a dissolução a que assistimos é sistematicamente prosseguida. E isto é tão provocante como a festa de que se queixavam as legiões: esta ajudou a destruir a credibilidade de que o Estado necessitava, e a nova festa está destruindo as bases da subsistência da sociedade civil. A questão não é de moralidade paroquial, é de natureza política, respeita à qualidade de vida que se pretende viver. Se a batalha da autonomia da sociedade civil for perdida, nada impedirá um totalitarismo de qualquer sinal. E tal batalha estará perdida logo que as suas trincheiras e cidadelas, que são anteriores ao Estado, se encontrarem desinstitucionalizadas. Nessa altura, sim, o subdesenvolvimento terá ocupado o lugar da pobreza. E então o autoritarismo, na sua pior forma, que é o totalitarismo despótico, poderá implantar-se sobre o deserto social criado.

Este objectivo orientou a fria matança sistemática das elites europeias, nesta plataforma que foi a matriz do Euromundo: a matança pelos nazis em todos os países para onde se expandiram; a matança soviética, no refluir da maré até à rendição incondicional; a matança raivosa que os libertadores executaram ao reinstalar-se no poder, no exercício do que chamaram justiça e é mais conhecido por vingança.

O mesmo objectivo orienta, noutro contexto, a expulsão dos professores, médicos, engenheiros, agrónomos, gestores, quadros técnicos. Tudo, enfim, explica o continuado uso do famoso preceito fascista que aconselha poupar o inimigo quando seja suficiente tornar-lhe a vida difícil.

Ora, o poder não pode ser nunca o instrumento da vingança e do recalcamento. Assim como a justiça da história não restitui um interesse nem evita um sofrimento, a fúria revolucionária não remedeia um só erro cometido no passado, nem apaga uma angústia vivida. O futuro melhor é o único lema que justifica o poder pelo seu bom exercício, seja qual for a sua origem.

Acontece que muitos dos atingidos pela Revolução não se limitam às queixas pela parte do sofrimento individual que lhes coube, acrescentam uma demonstração de injustiça pela invocação de que apenas exerceram a função social que lhes cabia e nunca participaram da autoridade do Estado. A demonstração é ociosa. Não vale a pena esse esforço de ignorar que o Estado esteve largamente capturado por um grupo privilegiado, e que toda a Revolução implica uma mudança de captores. Na derrocada, também há justos que pagam pelos pecadores. É um facto. Mas este acaso da mistura é bem diferente da vingança intencional e cega, e esta substituiu em Portugal a objectividade que nenhum poder político está autorizado a perder.

É assim que, inscrevendo a Reforma Agrária entre os seus objectivos fundamentais, por considerar que a distribuição da propriedade era injusta, a Revolução até hoje apenas executou uma vingança cega contra os proprietários; expulsou, perseguiu, humilhou, prendeu, mas não melhorou em nada a exploração da terra, nem distribuiu mais, porque conseguiu que tenhamos menos. E todos sabem que a reforma agrária não é isso.

A Revolução levantou-se em cólera contra o poder financeiro, acusado de capturar o derrubado Estado, e executou a vingança do confisco: mas instalou a gestão deficitária em toda a parte, o arbítrio no lugar das leis, a inflação em vez do saneamento. E todos sabem que a nacionalização não é isso.

A Revolução acusou a indústria de viver de privilégios, de se locupletar com a contenção de salários, e executou a vingança da ocupação e da autogestão: mas paralisou as fábricas, diminuiu a produtividade, deteriorou a qualidade, arrasou de caminho a pequena e média empresa. E todos sabem que a racionalização não é isso.

Tudo demonstra que é realmente fácil ocupar o governo, mas que é muito difícil governar. A vingança arrastou consigo o empobrecimento geral, a derrocada da sólida estrutura dos pequenos e médios proprietários, a paralisação da pequena e média empresa, a destruição da obra meritória de milhares de homens operosos, o crescimento em flecha dos desempregados, e o aniquilamento das grandes organizações que poderiam subsistir sem os confiscados, mas não podiam funcionar sem um plano de governo.

A primeira justiça que qualquer poder político tem de assegurar é em relação ao próprio corpo social cuja direcção ambiciona e consegue. A teoria de vinganças contra os indivíduos arrastou na enxurrada os inocentes e apunhalou a própria sociedade. Vai ser difícil, mas é inadiável, substituir os possessos da cólera pelos que saibam que governar é servir.

Por enquanto ainda somos apenas pobres, apesar dos esforços sistemáticos para nos transformarem em subdesenvolvidos. Isso não impede, antes torna necessário, enfrentar a teoria política do subdesenvolvimento com que nos ameaçam.

Entre as duas guerras mundiais, o debate ideológico foi dominado pela querela a respeito do *Marxismo como teoria e método,* do *comunismo como modelo proposto,* e do *sovietismo como solução imposta.* Durante esse período, a análise ocidental decorria num ambiente de regimes capitalistas solidamente implantados e confiantes no futuro, de modo que o problema dizia respeito às coisas longínquas que se passavam na casa dos outros. Mas foi já então adiantado por Monoilesco que a luta de classes viria a ser transferida do plano interno para o plano internacional, e que os Estados apareceriam eles próprios divididos e contrapostos entre *capitalistas* e *proletários.*

Depois da última grande guerra, o fenómeno da descolonização e a implantação dos regimes soviéticos no leste europeu, mudou substancialmente os termos de referência da análise. A coisa já não dizia apenas respeito aos outros. Partindo do pressuposto ideológico de que o policentrismo é um modelo superior aos restantes, procuraram então esses analistas ocidentais averiguar a correlação existente entre o desenvolvimento económico e o sistema político. Quando a análise partiu desse pressuposto valorativo da superioridade do policentrismo, também deu por assente que ele diz respeito não só à divisão tradicional dos poderes do Estado, mas ainda à autonomia da sociedade civil perante o aparelho do poder político. Com uma certa tranquilidade, pareceu-lhes concluir que existe uma correlação entre o desenvolvimento socioeconómico e o sistema político, de tal modo que a democracia policêntrica coincide com as sociedades industrializadas, pós-industrializadas, afluentes e de consumo, destacando-se os EUA, o Canadá, a Europa rica do norte e o Japão. Pelo contrário, os países economicamente subdesenvolvidos, como acontece na África, no leste europeu, na América Latina e na Ásia, seriam regiões votadas ao autoritarismo e ao totalitarismo. Dentro de cada uma das áreas, pensaram encontrar variações do critério que apenas o confirmam, visto que os países nórdicos da Europa lhes parecem mais democráticos do que todos os do sul e o comunismo é na Albânia mais rigoroso do que na Jugoslávia. Segundo o método que se tornou habitual entre os desenvolvimentistas, trataram de apoiar as conclusões na análise estatística, combinando índices socioeconómicos com índices puramente políticos: por um lado, rendimento *per capita,* alfabetização, escolaridade, industrialização, urbanismo, difusão da imprensa; por outro lado, participação eleitoral, efectivos militares, despesas públicas. Em resumo, foram concluindo que o policentrismo cresce com o produto nacional bruto e outras variáveis que lhe estão ligadas. Onde a riqueza não apoia a diminuição dos conflitos, a redistribuição dos recursos políticos e a difusão da cultura, o policentrismo não teria probabilidade de sobreviver.

Não é aqui oportuno lembrar outros aspectos complementares da teorização, porque estes são suficientes para a crítica. Parece evidente que toda esta orientação esquece que, partindo de uma posição weberiana, começa por assentar num conjunto de valorações acríticas, que todas elas são políticas e indemonstráveis. Trata-se de adesão, a começar pela definição hierárquica da bondade respectiva dos regimes políticos, e a terminar pela selecção instrumental dos índices tomados em consideração. Realmente demonstram o que já tinham por demonstrado, isto é, que as suas sociedades são policêntricas, e acreditam que devem procurar a explicação na riqueza que possuem e propor o modelo aos outros. Deste modo, transformam uma das variáveis do *ambiente* que desafia o poder político, na causa eficiente de toda a evolução política. Designadamente, alheiam-se completamente das variáveis exteriores (*total environment*), cada vez mais importantes em face da socialização e interdependência do globo, e que trazem desmentidos em cadeia à doutrina: foi o poder exógeno dos EUA que impôs o modelo policêntrico ao Japão, e assegurou a sua implantação na Europa do plano Marshall; foram os exércitos soviéticos que impuseram o totalitarismo no Leste europeu; foi a acção coligada dos EUA-URSS que tornou possível a proliferação dos populismos autoritários africanos.

De modo que a teoria desenvolvimentista, que deu às sociedades ricas o conforto de supor que o autoritarismo era o mal dos outros, procurou de facto encontrar, no uso da doutrina marxista do primado da economia, a sua própria justificação.

Aconteceu que a evolução interior dos dois sistemas em confronto não fez senão desmentir o critério. Enquanto os EUA sofrem crises sucessivas, que apontam para a desagregação do policentrismo de que festejam o duplo centenário, a URSS recusa a liberalização interna que seria o corolário do enriquecimento. De facto, a URSS chegou à maturidade económica da escala de Rostow, e deveria portanto, na alternativa entre uma política de *poder* e uma *política de sociedade de consumo,* inclinar-se para esta. Mas não há dúvida que o desafio estratégico mundial a encaminhou para uma clara política de poder, com o orçamento militar crescendo em flecha, e recusando a liberalização interior. O famoso *Programa de 15 pontos,* de 1970, assinado por Sakharov, Medvedev e Turtchine, advogando a evolução policêntrica, ficou em voto pio. O pobre Alexandre Dubcek pagou severamente, com o seu povo, o mesmo erro de julgamento. Tudo demonstra assim a persistência da autonomia do factor político, que é a doutrina tradicional, e que também é de facto a doutrina marxista.

Com o seu habitual senso crítico, observou Aron que a tese do primado político desagrada aos marxistas porque se aplica mal às sociedades ocidentais, mas corresponde exactamente ao que se passa na Rússia. Mas deve acrescentar-se que o leninismo e o maoísmo sempre acreditaram nisso e o praticaram, e por isso conseguiram superar a resistência do ambiente nos seus próprios países, saltando um por cima da fase da revolução burguesa, e demonstrando o outro que o campo pode vencer a cidade e que o comunismo pode ser implantado numa sociedade agrária. De facto, como acreditaram os clássicos, e como recordou Aron, possível é que *«exista um ritmo próprio dos fenómenos políticos, que os despotismos acabem por se esgotar e as democracias por se corromper. A oscilação dos regimes políticos de uma forma a outra, em vez de ser provocada pelos movimentos económicos, poderia ser uma variável relativamente independente»*. Acrescente-se que o Manual publicado em 1961 pela Rússia, e chamado *Os princípios do marxismo-leninismo,* claramente atesta que, além do factor económico, «outros factores exercem uma influência sobre a forma do Estado: tradições nacionais, filiação no desenvolvimento das instituições políticas, nível da consciência política do povo, relações com os Estados estrangeiros (designadamente perigos de agressão), etc.». Em suma, a acção ensinou que a vontade do poder é a dinamizadora da história. E a teoria indesmentida do desafio, que Toynbee desenvolveu, evidenciou que os povos enfrentam e vencem a agressão do ambiente interno e externo, sempre que a imaginação toma o poder, sem que a pobreza seja um impedimento. E este é o erro básico dos desenvolvimentistas: confundem a pobreza com o subdesenvolvimento. A primeira nunca impediu a defesa de uma sociedade civil livre. Só o segundo, que pode ser provocado pela destruição interna e sistemática das instituições, ou pela acção exógena directa e indirecta de potências estrangeiras, aniquila a possibilidade de uma vida pobre mas assente no integral respeito dos direitos do homem. O terceiromundismo que nos ameaça terá de usar uma dessas técnicas para conseguir criar o vazio que então, sim, verdadeiramente fará soar o *memento mori* da Pátria portuguesa. Na sequência da total renúncia incondicional perante a revolta vitoriosa dos inimigos de ontem, esse terceiromundismo não só enjeita o património exemplar, prossegue na tentativa de uma final e suprema homenagem aos vencedores, e que seria a africanização do povo português. É isto o que de quando em vez se revela nas palavras proferidas por cima do ombro das instituições em vigor, reclamando-se do espírito e do corpo do MFA, e arrogando-se a vigilância da pureza constitucional, porque não esquecem que a Constituição foi votada sob a sua vigilância armada.

> O PROJECTO EUROCOMUNISTA

A EUROPA EM QUE NOS INSCREVEMOS, e que é tributária das três fontes de que falava Valéry, foi sempre plural dentro da sua unidade.

Uma das suas clivagens mais importantes de hoje é a que a divide entre uma *Europa Rica do Norte* e uma *Europa Pobre do Sul*. Dois fenómenos migratórios principais estabelecem uma corrente contínua entre ambas: os capitais e a tecnologia, seguindo a antiga rota da invasão dos bárbaros, descem do norte para o sul; os pobres marcham do sul para o norte em busca de trabalho.

Nesta Europa dos pobres, que se debruça sobre o Mediterrâneo, o qual foi o nosso mar e hoje é uma estação privativa e exclusiva de russos e americanos, só apareceu uma novidade doutrinal importante e que merece, pelo vigor intelectual, pela força aliciante das massas, pela capacidade de liderança, uma séria e meditada atenção. É o eurocomunismo, que vai abalando as tradicionais divisões da esquerda marxista, e abrindo fendas nas formações inspiradas no personalismo cristão.

O seu momento de actual arranque parece estar situado no XX Congresso do Partido Comunista da URSS, reunido em Moscovo em 14 de Fevereiro de 1956. Este Congresso foi uma das mais claras demonstrações de que um sistema, cuja ideologia se funda no determinismo económico, procede na base da inabalável convicção do primado da política e da importância das lideranças. Observa-se repetidamente, e é de subscrever, que foi Lenine quem decidiu a marcha para a conquista do poder; foi Estaline quem, durante um longo reinado despótico, decidiu a morte de milhões de camponeses e comunistas convictos; foi Krutschev quem decidiu a nova linha de ataque ao culto da personalidade, sem que isso o impedisse de abrir outros campos de concentração, mandar ocupar a Hungria, determinar a invasão da Checoslováquia, construir o muro de Berlim, levar o mundo à beira da catástrofe com o incidente de Cuba.

De modo que a iniciativa pessoal de Krutschev forneceu a muitos a ocasião de lembrar, mesmo sem as repetir, antigas palavras de Lenine: «É necessário ter presente que a revolução socialista em países avançados não pode começar com a mesma facilidade que na Rússia, país de Nicolau II e de Rasputine, onde uma parte enorme da população se desinteressava completamente do que se passava na periferia e do que eram os povos que a habitavam. Era fácil, nesse país, começar a revolução; era levantar uma pena. Mas começar uma revolução sem preparação num país onde se desenvolveu o capitalismo, que deu uma cultura e uma organização democrática a todos os homens até ao último, seria um erro, um absurdo». De facto, até que os exércitos *russos,* na sequência da guerra, fizeram prevalecer o regime soviético nos países do leste europeu, nunca tinha sido possível aos comunistas alcançar o poder. E foi a estabilização da fronteira, entre o leste europeu e o ocidente, consagrada recentemente na Conferência de Helsínquia, que de novo deu actualidade à advertência e fez com que as mencionadas palavras andem a servir de introdução às publicações sobre a nova linha eurocomunista. Esta nova aproximação do problema tem por consequência na base o facto de que a variável exógena, que é a intervenção dos exércitos soviéticos na vida interna dos países europeus, está em suspenso, dentro do contexto do *condomínio de responsabilidade* EUA-URSS. Surgiu então para os marxistas europeus a utilidade de finalmente permitir divulgar a obra de António Gramsci, que passou a parte mais valiosa da sua vida nas cadeias do fascismo italiano, e viu simultaneamente o seu pensamento perseguido pelos comunistas a que pertencia, vítima de uma aliança que não teve nesse caso a sua manifestação exclusiva.

A ele se deve a única tentativa séria de exame global do problema da implantação do comunismo nos países da Europa ocidental. Os conceitos de *bloco histórico, da função dirigente da classe operária, da aliança de operários e camponeses, da função hegemónica do Partido, da transformação do Partido no Príncipe moderno, das casamatas e trincheiras* da sociedade civil ocidental, são dele.

Entre os seus trechos mais citados hoje, anda sempre este: «*No Oriente, o Estado era tudo e a sociedade civil era primitiva e gelatinosa; no Ocidente, entre o Estado e a sociedade civil, havia uma justa relação, e atrás de um Estado vacilante, descobria-se logo uma robusta estrutura da sociedade civil. O Estado não era senão uma trincheira avançada, atrás da qual resistia uma sólida linha de fortalezas e de casamatas*».

Foi a sua leitura que, perante a contenção da marcha dos exércitos soviéticos na Europa, levou os marxistas a meditar de novo sobre Lenine e Rosa Luxemburgo, analisando as motivações das opções políticas contraditórias que sustentaram, e a avaliar as limitações da III Internacional para vencer as resistências do ocidente europeu.

Forneceu ele alimento aos comunistas dos países onde a teoria, como de resto aconteceu em Portugal, não revelou um só cultor com autoridade: nem um Kautsky como a Alemanha, nem uma Rosa Luxemburgo como a Polónia, nem um Plekhanov como a Rússia, nem um Guesde como a França. Foi na sua obra que Althusser baseou a sua própria teoria dos *aparelhos ideológicos do Estado,* instrumentos da classe dominante para obter o consenso popular e assegurar a hegemonia, doutrina inspiradora do assalto aos meios de comunicação, e directamente decorrente da ideia de Gramsci de que o Estado não é um puro aparelho repressivo.

Dele partiu a análise de Garaudy, ao interpretar o *bloco histórico* como uma nova iniciativa operacional para a conjuntura, adaptando-se tanto ao conceito de aliança entre formações antiburguesas, como até à colaboração de classes.

O mais importante de tudo foi porém que os dirigentes do Partido Comunista Italiano se reclamaram de continuadores da estratégia que Gramsci defendia desde 1923, sendo pública a reivindicação de que a chamada «viragem de Salerno», que transformou o *bloco histórico* num *bloco antifascista,* está na linha da fidelidade às suas propostas. E aqui começa o problema da autenticidade.

Parece indiscutível que o conceito de *hegemonia do Partido,* e do novo *bloco histórico* que se traduziria na aliança estratégica entre operários e camponeses, campo e cidade, proletários e intelectuais, não era para Gramsci uma alternativa para a ditadura do proletariado, era apenas uma nova estratégia de chefe de partido para a captura final do poder. Mas o desenvolvimento posterior, que vai de Togliatti a Berlinger, utilizou o conceito gramscista do bloco histórico para afirmar a largueza das *alianças possíveis,* desde os comunistas aos católicos, para sustentar a adopção da *via parlamentar para o socialismo,* para proclamar a *perspectiva gradualista e democrática,* para enfim chegar ao conceito que orientou o desenvolvimento político liberal e que é o *parlamentarismo.* Muitos dos liberais de 1820 poderiam certamente tolerar estas palavras da *Declaração Conjunta dos Partidos Comunistas Italiano e Espanhol,* de 12 de Julho de 1975, antecedidos justamente pela invocação das revoluções em Portugal e na Grécia: «*A perspectiva de uma sociedade socialista encontra hoje a sua raiz na própria realidade e funda-se na convicção de que o socialismo não se pode afirmar, nos nossos países, senão através do desenvolvimento e pleno exercício da democracia. Esta convicção tem por base a afirmação do valor das liberdades individuais e colectivas, assim como da sua garantia – a saber, a não oficialização de uma ideologia do Estado – e a sua articulação democrática; ela afirma igualmente o valor da pluralidade dos partidos numa livre actividade dialéctica, a autonomia dos sindicatos, das liberdades religiosas, da liberdade de expressão, da cultura, da arte e das ciências. No domínio económico, uma solução socialista é chamada a assegurar um grande desenvolvimento produtivo pelo atalho de uma política de planificação democrática que estimula a coexistência de diferentes formas de iniciativa e de gestão públicas e privadas».*

Se a tradução da palavra *dialéctica* assumir o sentido socrático, os herdeiros progressistas dos liberais históricos terão fortes motivos para meditar o revisionismo proposto.

Na sequência desta linha, a *Declaração Comum do Partido Comunista Italiano e do Partido Comunista Francês* de 17 de Novembro de 1975, proclama o seguinte: «*Comunistas italianos e franceses consideram que a marcha para o socialismo e a edificação da sociedade socialista, que propõem como perspectiva nos seus respectivos países, devem realizar-se no quadro de uma democratização contínua da vida económica, social e política. O socialismo constituirá um estádio superior da democracia e da liberdade, a democracia levada até ao fim. Neste espírito, todas as liberdades, que são o resultado quer das grandes revoluções democráticas burguesas, quer das grandes lutas populares deste século das quais a classe operária tomou a direcção, deverão ser garantidas e desenvolvidas».* Acrescentam que: «*a sua atitude não é táctica, mas decorre da sua própria análise das condições materiais e históricas específicas dos seus países respectivos, da sua própria reflexão sobre o conjunto da experiência internacional.*»

Esta formulação tem sobre o terceiromundismo pelo menos a superioridade de admitir que os países pobres da Europa não são subdesenvolvidos, e reconhece a validade e eficácia política da estrutura da sociedade civil. Mas não pode deixar de provocar algumas interrogações fundamentais: não há experiência histórica do comunismo no poder que permita avaliar da autenticidade das declarações, e a experiência vivida é contra tal autenticidade; os pressupostos da dialéctica marxista, que não é socrática, não consentem o abandono do poder assumido, porque cada patamar do avanço é uma síntese irreversível; a dialéctica não se confunde com o método parlamentar, antes o Parlamento é para o marxismo um dos *aparelhos ideológicos do Estado,* que se pode e deve capturar, mas não perder; a coincidência da meditação comunista sobre o *conjunto da experiência internacional* com a contenção do avanço dos exércitos soviéticos na Europa suscita a convicção de que a ambicionada *ditadura do Príncipe,* que é o Partido, procura outros meios e não uma nova escala de valores.

Por outro lado, projectada a nova proposta no *conjunto da experiência internacional* em que se baseia, não pode deixar de notar-se que proclama e traz as seguintes consequências: apoiando-se no nacionalismo, é uma espécie de novo gaulismo da esquerda que desmobiliza a NATO, implica a retirada das tropas americanas da Europa, a desnuclearização dos países europeus, a interrupção do processo integrador do Mercado Comum, a neutralidade dos europeus, e a mudança radical da função interna dos exércitos, o que tudo apoia os objectivos internacionais do plano estratégico soviético e não traz debilitação a área do Pacto de Varsóvia.

Do ponto de vista ideológico, e como tem sido observado, a mão estendida aos católicos desmobiliza uma das mais sólidas resistências da liberdade da sociedade civil, porque provoca ou acelera, como tem sido evidenciado pela crítica, os seguintes fenómenos visíveis: a perda crescente do carácter não classista da solidariedade dos fiéis, dividindo-os sob a influência das ideologias políticas; ajuda a liquidar a sua presença nas cidadelas e casamatas da vida civil, como são a família e a escola; contraria o fortalecimento autónomo do movimento regenerador cristão que se desenvolve em apoio a muitas nacionalidades oprimidas, e para a revitalização dos movimentos de estudantes e das massas populares.

Finalmente, é necessário insistir em que, se o movimento é autêntico, completamente dispensa a autonomia dos partidos socialistas europeus e logicamente encaminha para a sua extinção. É deste lado portanto que primeiro deve vir a prova da credibilidade, mas até hoje não só nenhum dos seus respectivos condutores manifestou a disposição de propor a fusão numa nova formação que já não seria o comunismo passado, como, pelo contrário, a social-democracia alemã repudiou a doutrina. Quando as formações socialistas portuguesas dizem ao Partido Comunista Português que aquilo que as separa dele é apenas Estaline, assumem elas o eurocomunismo. Por seu lado, quando o Secretário-Geral do Partido Comunista Português repudia o eurocomunismo, também com isso tira todas as dúvidas sobre que é de um problema táctico que se trata, e que, no plano português, não encontra motivo para repudiar, nem sequer aparentemente, nenhuma das práticas nem das proclamações da III Internacional. Ao afirmar a linha conservadora soviética, mais uma vez convida os analistas a meditar no sentido da verdadeira cruzada em que se empenhou para sustentar a aliança indestrutível com o MFA, e incita a investigar o que este representa hoje para além dos equívocos e pouco informativos preceitos constitucionais. Quando, finalmente, e em oposição frontal às declarações do eurocomunismo, afirma a solidariedade com a URSS, também com isso adverte que considera a sociedade portuguesa como submissa a um processo exógeno, cuja variável fundamental conhecida é o plano estratégico soviético, que teve o seu primeiro desenvolvimento com a abertura das linhas do Índico para o Atlântico em consequência da chamada descolonização exemplar.

De novo aparece, portanto, a importância de saber o que é, de facto, o MFA referido na Constituição sem definição de corpo visível. Sabemos que existe um Conselho da Revolução, mas nenhum preceito constitucional lhe atribui o condomínio do exercício da soberania que atribui ao MFA. São coisas diferentes. Ao Conselho da Revolução atribui-se, para além do assessoramento político do Presidente da República, uma função institucional militar, que está na base da reserva da competência legislativa para as Forças Armadas, limitando severamente a normal competência da Assembleia da República, de um modo que não tem réplica em nenhuma Constituição dos membros do Conselho da Europa. Mas o MFA, ao qual se atribui tão alto poder político, a Constituição nada diz, salvo que participa no *exercício da soberania*. Isto só comprova que as Constituições tendem frequentemente para dizer pouco sobre o sistema político em vigor. É sempre dentro deste que a luta se passa, à margem dos textos. Muitas hipóteses de evolução do sistema se podem imaginar, mas nenhuma tem maiores probabilidades de ser confirmada do que as outras.

Uma delas é que o Conselho da Revolução possa ser capturado em termos de politicamente corresponder ao MFA, ultrapassando assim a função de assessoramento que lhe pertence.

Outra, que o MFA se mantenha ou se reconstitua, ocultando a sua composição como sempre mostrou preferir; renovando-se segundo práticas não publicadas; falando ao público pelas frestas constitucionais; desabafando em pedidos de demissão ou queixas, sempre que um dos seus elementos históricos, sem função política conhecida, se declara incapaz de dominar unidades militares porque os poderes legítimos o rodeiam de oficiais que chama das direitas; exibindo eventualmente, por obra de outro elemento histórico, uma gratuita imagem napoleónica que apela directamente para o povo; programando ocasionalmente um socialismo militar, que na sua forma menos danosa teria o modelo peruano como inspiração, e, na sua versão mais ambiciosa, desejaria o castrismo como matriz; chegando, pela voz de outro, a dispensar expressamente qualquer projecto ideológico, que daria trabalho a estudar, em benefício de um populismo que em vários lugares tropicais vai garantindo, aos usuários do poder, a vida alegre dos africanismos ugandenses.

Finalmente a hipótese desejável de que os poderes legitimados pelo voto consigam neutralizar tal processo, e possam implantar um regime em que as teses coincidam com a realidade, eliminando os semantismos constitucionais que desorientam o contribuinte que trabalha e paga. Não há divisão partidária que justifique a falta de apoio a esta corrente, seja qual for a etiqueta do governo que a sustente. É necessário distinguir entre a *divergência* e a *dissidência*. A primeira é a que preside utilmente aos esforços dos que vêem de maneira diferente, mas querem um final *consenso nacional;* a segunda caracteriza os que dispensam o *consenso nacional,* porque o totalitarismo lhes mexe com a imaginação e as ambições do poder.

> LEGITIMIDADE E PLURALISMO

NA VIDA POLÍTICA, a legitimidade não é infelizmente toda a força: apenas fortalece, embora consideravelmente, o poder. Por isso quem a não tem a imita e quem a possui a defende. Também acontece que não coincide necessariamente com a legalidade, assim como esta não é fatalmente o espelho da justiça. A legitimidade é uma relação directa com a vontade do corpo político, e intitula para todas as correcções necessárias. As leis constitucionais, por isso, costumam ter a prudência de prever que um poder legítimo as dispense e faça um apelo directo ao eleitorado. No meio fica o desagradável problema da força, que não está sempre associado à legitimidade, mas é a essência do fenómeno político. Pode acontecer que a legitimidade seja completa, e a força nenhuma.

Contra estas eventualidades não pode fazer-se nada, salvo ter decisão para triunfar sobre elas, e ganhar ou perder. A crença de que a vitória coroa a justiça, está muito debilitada num mundo onde acontece com frequência o contrário. Tudo nunca está definitivamente resolvido. Como disse algures Ibsen, e foi recentemente recordado, *«ver-se-á claramente um dia que o triunfo é a derrota»*, sendo que o inverso também pode afirmar-se no plano semântico e no plano da realidade política. Na luta política há sempre uma fase de infantilismo em que a *anexação semântica* é geral, de modo que cada formação procura chamar a si as palavras-chave das outras, para beneficiar do prestígio verbal. Todos são liberais, democratas, cidadãos, camaradas, progressistas, conforme as épocas e as circunstâncias, até que a tempestade acalma e as palavras alcançam um denominador comum pacífico e se banalizam. Em todo o mundo, já ninguém, com um mínimo de segurança e maturidade, julga poder diferenciar-se proclamando simplesmente um projecto socialista de vida, porque o inevitável crescimento do sector público banalizou a necessidade da coexistência e até competição da gestão pública com a privada.

Há exemplos de países onde a Revolução instalou o conservadorismo no poder para que este confesse que não pode deter o recuo crescente da privatização da empresa. As alternâncias de partidos ocidentais no poder não implicaram até hoje o recuo do sector público em parte alguma, afectaram apenas o estilo de governo. De modo que a diferenciação está na concepção dos *Direitos do Homem,* que a socialização do mundo interdependente, a marcha para a unidade de Chardin, deve servir e da qual não pode servir-se.

Por outro lado, como a interdependência vai transformando todas as sociedades em também exógenas, as *opções internacionais* assumem um peso importantíssimo nas diferenciações das correntes. As tendências políticas mais vivas, é no debate institucional e processual destes temas que se afrontam e procuram identidade, como é fácil verificar pela análise das suas campanhas. De modo que a ênfase posta na afirmação de um projecto de vida socialista, é proclamar o óbvio com a possibilidade de se estar a querer esconder o essencial. Porque se a palavra tem braços longos e abrangentes, por isso mesmo nela cabem todos os projectos totalitários e todos os planos estratégicos mundiais. E, neste domínio, a guerra semântica continua a esconder a guerra verdadeira. A experiência mais valiosa, embora não única, do que resta da Europa, neste espaço vazio de poder mundial ao qual inelutavelmente pertencemos, é que a segurança social e a garantia das liberdades passam ao norte, vocacionalmente, pelo personalismo laico da social-democracia, e pela democracia-social de inspiração personalista cristã. Correndo a sorte das competições eleitorais, com etiquetas diversas, ganham e perdem por diferenças mínimas. As conclusões dos analistas, que aqui se reproduzem e resumem, são largamente coincidentes. Sempre que o longo exercício do poder por uma das correntes leva aos vícios e ao cansaço, é da outra corrente que o eleitorado espera a correcção. Quando a política fiscal da social-democracia transforma o Estado num espoliador, é à democracia-social que o eleitorado está pedindo um compasso de espera e de repouso. Logo que a burocracia inerente à excessiva socialização rodeia a vida privada de uma teia envolvente e asfixiante, é a democracia-social que a liberta e descentraliza a gestão dos interesses individuais e institucionais. Se a socialização e o crescimento inevitável do sector público ameaçam matar a iniciativa privada e a busca de oportunidades individuais, o eleitorado chama a isso confisco e pede a correcção pela alteração das maiorias. Se a tecnocracia exagera no esforço de dominar a natureza e na criação de novas fontes de energia, o eleitorado empurra a ecologia para capítulo principal da economia. Se os sindicatos dão mostras de querer capturar o Estado, os eleitores lembram-se de que também são consumidores e pedem um freio que preserve a função arbitral do Estado. Quando o envolvimento internacional ameaça a independência possível, a correcção intervém pela chamada dos outros. O consenso, sem o qual não há vida constitucional, está na aceitação, por ambas as correntes e suas variadas formações, da herança ocidental que o eurocomunismo anda agora apressadamente a reclamar.

Ninguém pode prever como irá acontecer em Portugal. Os nomes importam muito na vida política, mas, por dentro das coisas, as formações que se afastam desse consenso não é verdade que possam ou queiram coexistir em pluralismo, e realmente transformar os princípios numa técnica, e os valores num oportunismo. O modo anormal como se definiu o eleitorado em Portugal, vigiado por corregedores armados, forçado a escutar uma doutrinação de vingança, obrigado a não se afastar de regras impostas por um poder que só possuía a legitimidade da vitória, vivendo uma experiência que não tinha, violentado pelo abuso sem precedentes dos meios de comunicação, sofrendo o surrealismo da acumulação do processo da legalização com o processo de competição entre os poderes emergentes e insubmissos a qualquer legalidade, tudo não permite assegurar que tenha conseguido votar de acordo com as suas opções existenciais. Votou útil, não votou esclarecido. E deste modo, existe no actual sistema uma clara e vigorosa distinção entre a *maioria para a Assembleia da República*, e a *maioria Presidencial* que elegeu o Presidente da República. Como sempre que a desordem campeia, e como ensinaram todos os clássicos, a demagogia obriga a personalização da chefia. Isto não tem necessariamente ligação directa e prévia com a pessoa que vai ocupar o cargo, porque, como observou um velho parlamentar, a chefia do Estado é destino, não é carreira. Mas a *graça de estado* não é um fenómeno sem importância. Todo o homem pode crescer com ela. E, no caso português, só essa legitimidade aparece hoje como sendo a porta estreita por onde pode passar a normalização da vida política, impondo um entendimento humanista e personalista à interpretação dos textos constitucionais, e uma prática civilizada ao comportamento do sistema. Não é de legalidades que se trata porque, como ensinou friamente Talleyrand, os preceitos constitucionais costumam ter a elasticidade suficiente para consagrarem o que a necessidade exige. Trata-se do real sistema político, e não da imagem formal dos textos. Nele avulta o problema das Forças Armadas, que é necessário reconduzir à normalidade institucional. Não há quem possa antever a evolução de um sistema que foi implantado de maneira tumultuosa e no qual cada diferença teima em tornar-se dominante e exclusiva. As Forças Armadas guardaram o poder. Também pode acontecer que tenham de assumir a responsabilidade, se a normalização não lhes indicar o caminho mais natural da completa subordinação ao governo eleito. Mas, num caso ou noutro, é urgente que tenham recuperado a institucionalização que lhes permita repudiar o domínio das facções, por simplesmente acreditarem que o valor a todos superior se chama Portugal.

14 de Novembro de 1976.

> ÍNDICE

7	Prefácio
15	Prefácio à Primeira Edição
43	Introdução
53	O Sentido da História
59	O Primado dos Valores
67	O Poder e a Imagem
83	A Constituição Semântica
91	Ambiguidade do Estatuto das Forças Armadas
97	A Sede da Legitimidade
103	A Dependência Externa
111	A Variável Estratégia Russo-Americana
121	A Institucionalização das Forças Armadas
125	A Sociedade Civil e a Igreja Católica
133	A Ameaça do Terceiromundismo
145	O Projecto Eurocomunista
157	Legitimidade e Pluralismo

ESTE LIVRO FOI COMPOSTO EM CARACTERES BEMBO
E IMPRESSO EM PAPEL CORAL BOOK IVORY 100GR.
NA GRÁFICA DE COIMBRA
EM NOVEMBRO
DE 2009
>